西沢立衛建築設計事務所ディテール集

西沢立衛建築設計事務所編著

彰国社

目次

3　　ディテールについて
　　　西沢立衛

5　　GARDEN & HOUSE, 2006-

12　　HOUSE A, 2004-2006

24　　ニューヨークのヴィラ
　　　Villa in New York, 2008-

30　　軽井沢研究所
　　　K-Project, 2007-

38　　十和田市現代美術館
　　　Towada Art Center, 2005-2008

50　　森山邸
　　　Moriyama House, 2002-2005

68　　船橋アパートメント
　　　Funabashi Apartment, 2002-2004

72　　豊島美術館
　　　Teshima Museum, 2004-

82　　小山登美夫ギャラリー代官山
　　　TKG Daikanyama, 2007

86　　熊本駅東口駅前広場
　　　Kumamoto Terminal, 2007-

94　　収録作品データ

ディテールについて
西沢立衛

ディテールについての本をつくることになって、どういうものをつくるといいか、いろいろ考え始めた。しかしそのうち、そもそもディテールって何なのだろうというような、ずいぶん基本的なことを思い始め、しばらく考え込んでしまった。ディテールというのは建築家にとってすごく身近なもので、言ってみれば毎日それについて考えているようなものである。それがあまりに自然なものとなってしまっているせいか、ディテールって何だろうということは、今までじっくり考えたことがなかった。

ディテールとは何か？　今回この本をつくりながら、この問いを頭の中でずいぶん繰り返した。その結果思い至ったのは、ディテールといっても僕にとってそれは、単に末端部分という意味ではなくて、なにか建築全体にダイレクトにかかわる概念でもある、ということだ。建築の風景をダイレクトに決めるもの、と言ってもいいかもしれない。

以前『西沢立衛｜西沢立衛建築設計事務所スタディ集』（INAX出版）という本を出したとき、その中で「スタディの最中、案を考えたり、どういう納まり（ディテール）がいいか必死に考えたり」というようなことを書いたことがあって、その文章にトーマス・ダニエルさんが英訳をつけてくださった。それを読んだら、「どういう納まりがいいか考える」という部分に、「how things come together」という訳がついていて、なるほどこれはぴったりだと、いたく感心したことがあった。というのも僕はてっきり、「納まり」の部分の訳にはdetailという英単語が使われるのだろうと思い込んでいたのだ。でもダニエルさんがつけてくださったこの「how things come together」「モノがどんなふうに一緒にまとまってくれるか」という言い方、それはまさに設計中の僕が、ディテールについてあれこれ思い悩んでいたことに、非常に近いニュアンスであった。この「how things come together」というのは、いわゆるディテールとか納まりという意味でもあるし、また同時に、建築の全体像の話でもあるような言い方である。建築のスタディをしているとき、それはすごく考えることなのだ。たとえば、床や屋根があちこちに浮遊しているような建築的アイデアがあるとして、その風景を頭の中に思うとき、僕は、というか建築家であればたぶん誰でも、どこが構造でどこが非構造とか、屋根と壁がどうぶつかって、どうまとまるのかということのイメージをも、同時に想像する。それによって、全体として納まりそうだなとか、納まらなさそうだなとかという判断をする。案をボツにするとき、「納まらなさそう」というそれだけでボツにしてしまったりすることすらある。「いろんな物がどう一緒にまとまってくれるか」を思うこと、それは、壁とか屋根とか構造体とか、もしくは台所とかリビングとか庭とかの全部が集合して、ひとつの世界、ひとつの建築の姿がつくられる、そういう建築的な全体像を、頭の中でつくり上げてみることでもある。そういう意味で言えば、ディテール、納まりを考えるということは、そのまま建築創造のことなのだ。ディテールという世界には、物はこういうふうに集合すべきだという建築家の価値観が、如実に出てくる。建築家によっては、非常にミニマルに厳格に、全部をビシッと納めなければ気がすまない人もいるだろうし、逆に、全部が乱痴気騒ぎみたいにごちゃごちゃになったラフな状態でないとダメなんだと考える人もいるだろう。そのどちらにしても、そういうディテールの風景は、そのまま建築の風景でもある。だから、建築家が自分のディテール集をつくれば、それはその人の建築観みたいなものが、隠しようもなく出てくるであろうと思われる。

そういう意味でも今回の本では、きちっと製図されたCADの部分詳細図だけでなく、自分がディテールについて苦闘しているスケッチやダイヤグラム、文章などもぜんぶ使うことにした。いわゆる製図された詳細図というのは、線画（線で描いた図面）が多いが、僕はどちらかというと線というよりは面、色が塗られた面というものによって、各部位とそれらの関係がはっきりわかるような、色彩豊かな描写のほうがディテール表現には合っていると思っている。線画というのはあまりに均質で、それはそれでいいところもあるが、何がどの線だかわからなくなることがある。でも各々の部材に色をつけていくと、物と物のダイナミックな関係が、よりダイレクトにわかるようになる。また物が集合してひとつの世界を形成してゆく様子がよくわかる。そういうものが僕はすきだし、また感覚的に理解しやすいと感じている。そういうことを考えるうちに、今回のようなむしろどちらかというとラフな感じの図ばかりになってしまった。それらはいわゆるCAD的な詳細図ではないが、しかし僕にとってどれも、物と物の関係はこうあるべきだと僕が漠然と思うものであり、「how things come together」を示すものである。また、たぶんそれは、僕が建築において目指している風景にもどこかでつながっているのだろうと思う。

Art Direction   Ryue Nishizawa
Design   Taeko Nakatsubo

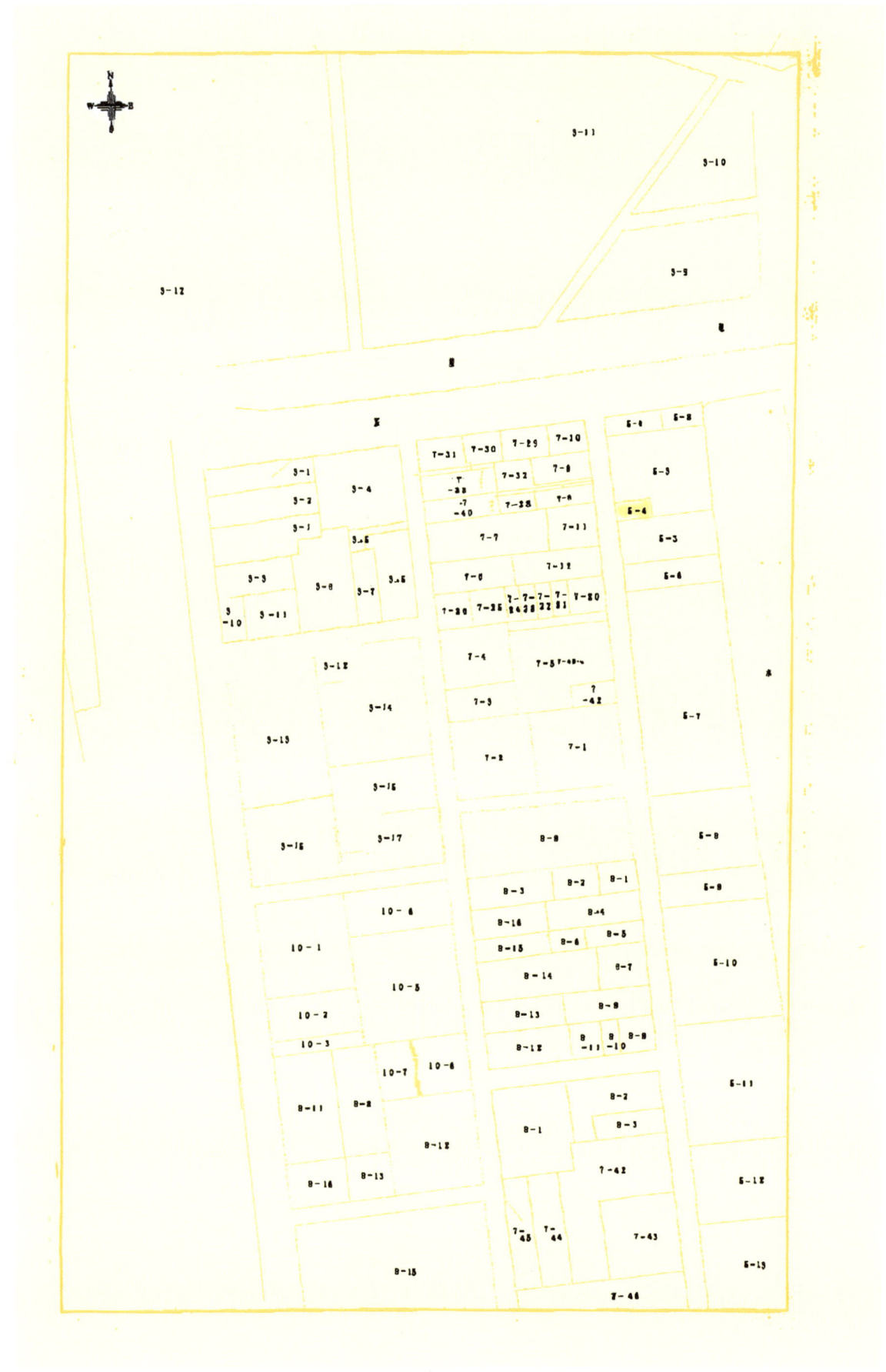

周辺地図

GARDEN & HOUSE, 2006-

都心の高密度な街区に計画されている、住居兼オフィスである。住まい手は編集関係の仕事をしている女性2人で、歴史をもつ都心環境の中で仕事をしたり生活をしたりということを望まれた。具体的な要求条件としては、オフィス、共同リビングスペース、各個室、ゲストルーム、浴室などであった。オフィスのような、住居のような、もしくは寮のような、いろいろな用途の中間のようなプログラムであると感じた。敷地は8×4mと極めて小さい長方形であり、左右と対面の敷地には高さ30mを越すたいへん巨大なビルがセットバックなしに建ち並んでいて、この敷地はまさに谷底のような空間であった。

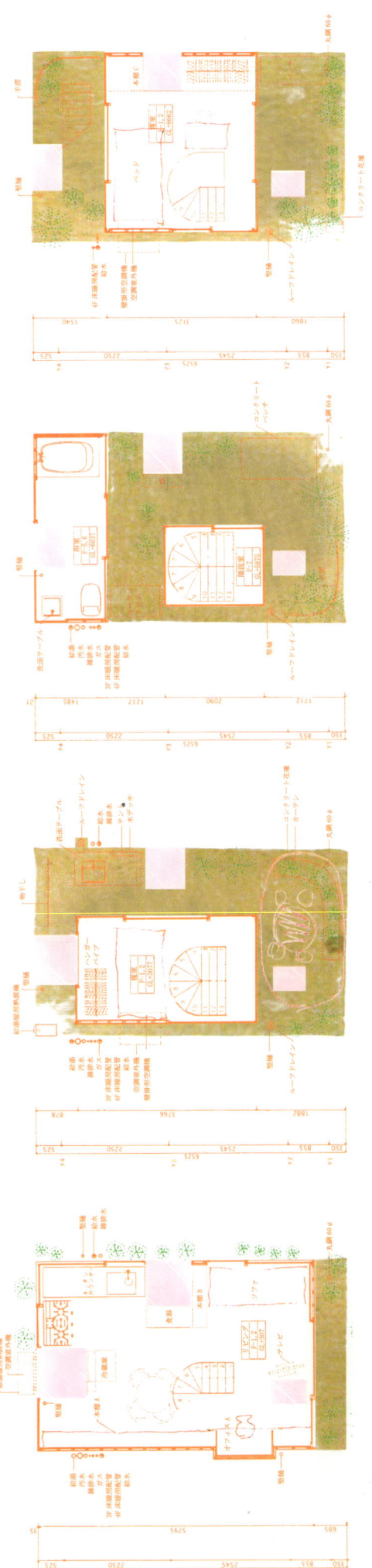

平面計画

ふつうに構造壁をつくって建物をつくると、狭い敷地幅員から構造の厚みぶんがさらに差し引かれて、室内がたいへん狭くなる。そこで、壁がない建物をつくれないかと考えた。最終的に選んだ構成は、各階壁なしのまま、水平スラブだけが垂直に積層されていき、各階に庭と個室がセットで配されるというものだ。各階の室はリビングだったり、各人のプライベートな室だったり、浴室だったりするが、そのどれもが専用の庭を持ち、屋外に出て風を感じたり、読書をしたり夕涼みをしたりといった、開放的な生活ができるように考えた。各階の室はどれもスラブの大きさよりも小さいために、部屋と庭を自由な形で取ることができ、階によって異なる部屋と庭の関係をつくることが可能となった。

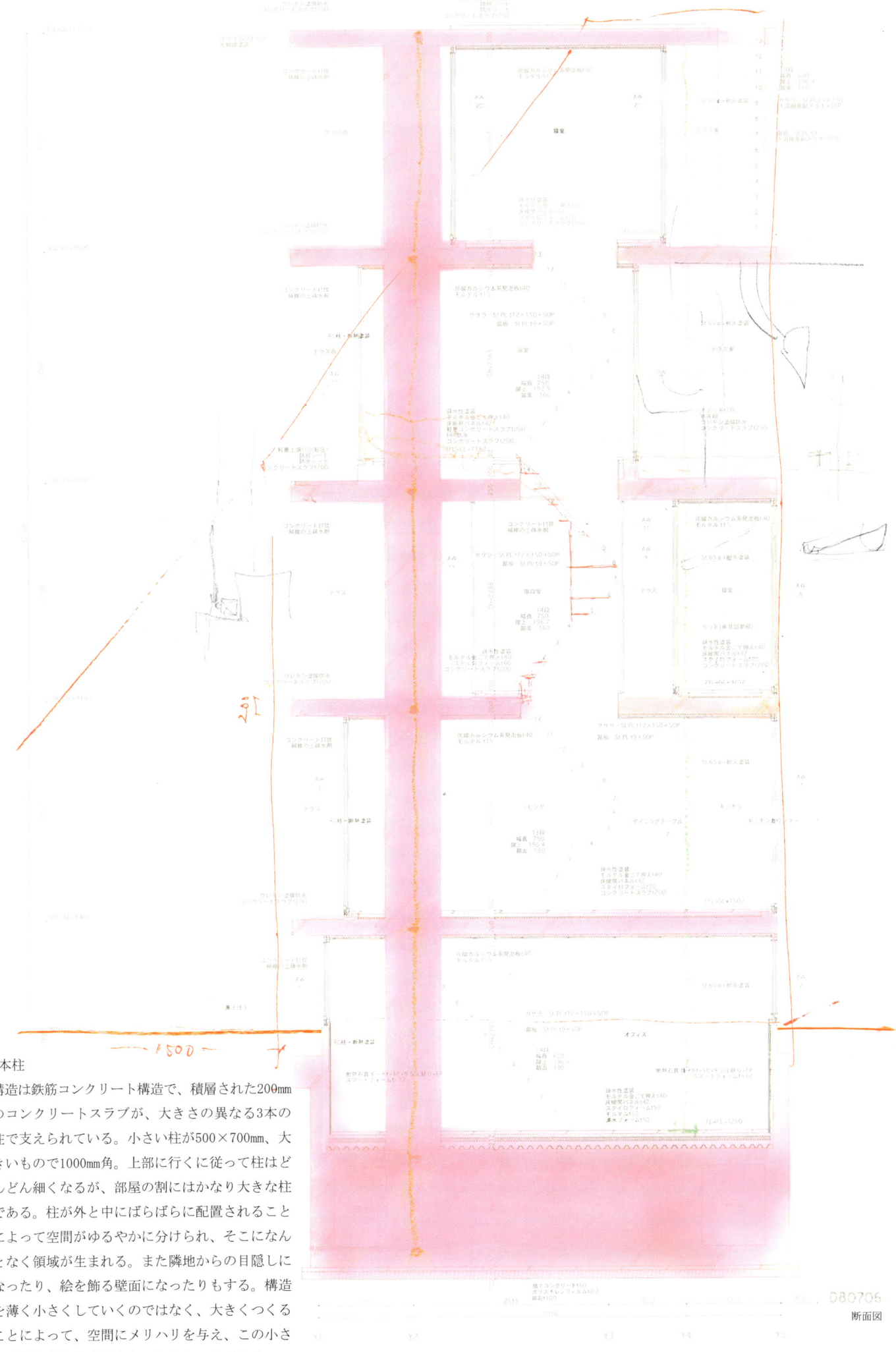

3本柱

構造は鉄筋コンクリート構造で、積層された200mmのコンクリートスラブが、大きさの異なる3本の柱で支えられている。小さい柱が500×700mm、大きいもので1000mm角。上部に行くに従って柱はどんどん細くなるが、部屋の割にはかなり大きな柱である。柱が外と中にばらばらに配置されることによって空間がゆるやかに分けられ、そこになんとなく領域が生まれる。また隣地からの目隠しになったり、絵を飾る壁面になったりもする。構造を薄く小さくしていくのではなく、大きくつくることによって、空間にメリハリを与え、この小さな空間をより魅力的なものにしたいと考えた。

断面図

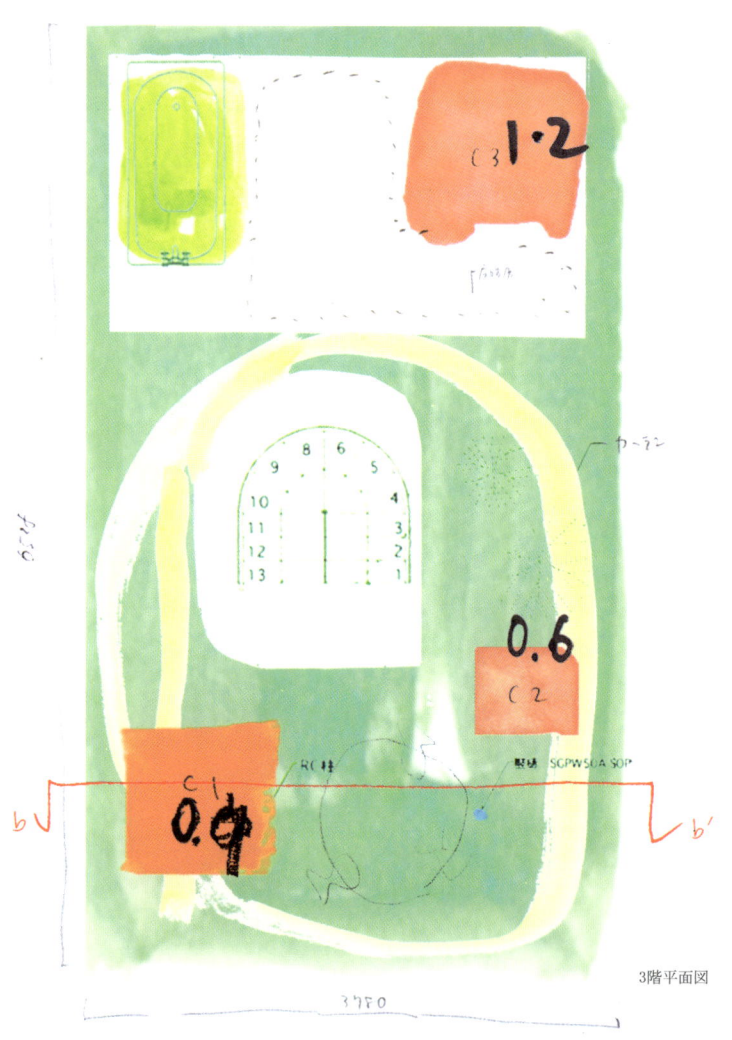

3階平面図

4階平面図

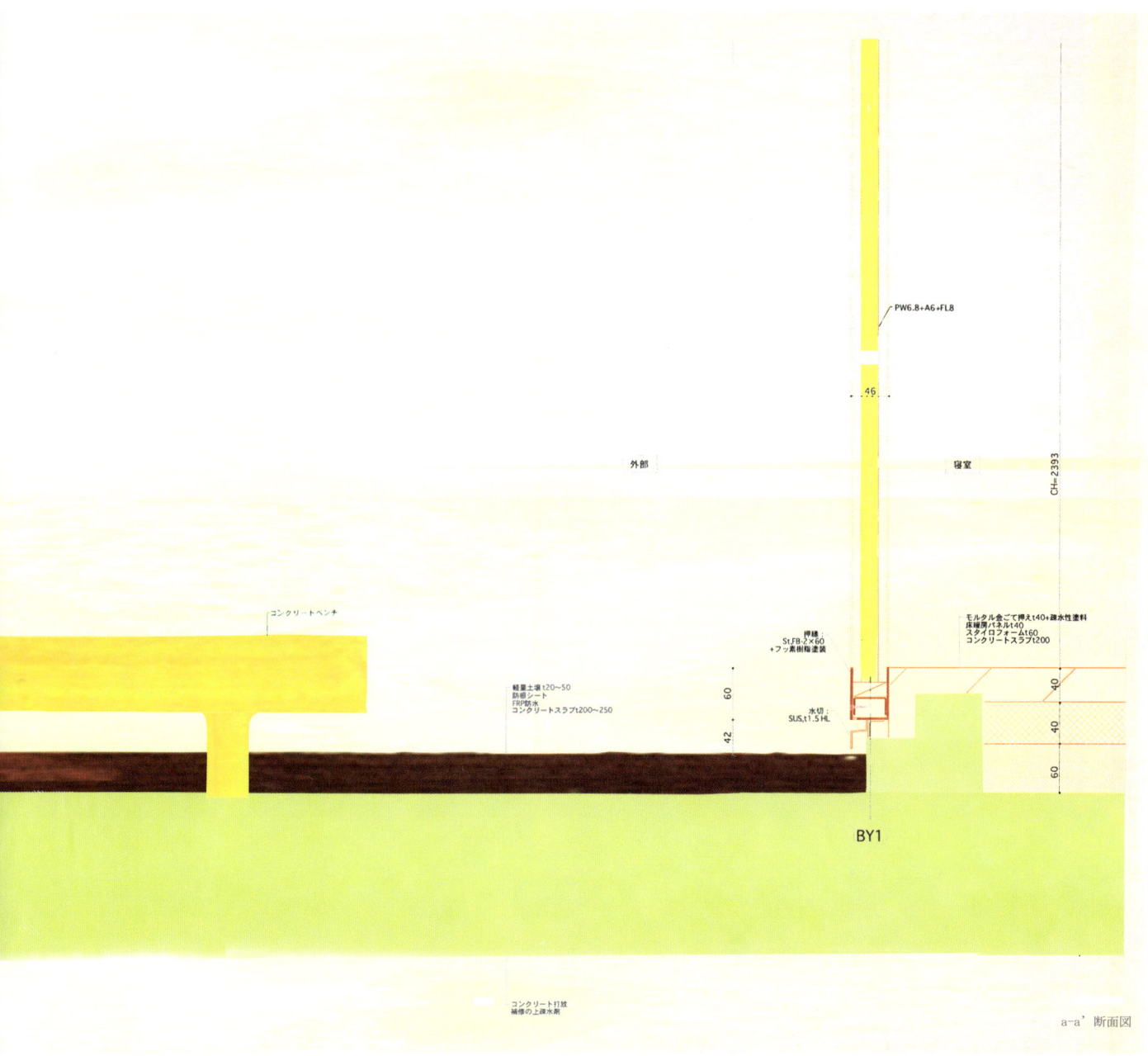

小さな庭

庭にはたくさんの植物や家具が置かれている。昼寝をするためのコンクリートベンチや大きなコンクリート花壇、大人数でパーティーをしたり、仕事の打合せをするための大きなテーブル、読書をするためのベンチなどがある。洗濯機や掃除用具をしまう棚、アイロンをかけるためのテーブルも庭に置いた。部屋と同じくらいの面積をもつ大きな庭であり、屋根があるので雨の日も快適に過ごすことができる。寒い冬の日はカーテンを閉めてストーブを持っていけばあたたかい。全体として壁のない透明な建物で、暗い敷地条件のなかでも最大限に明るい環境を感じられるように、また都心の真ん中に住むという特別な状況を楽しく快適に感じることができるようにと考えて設計している。

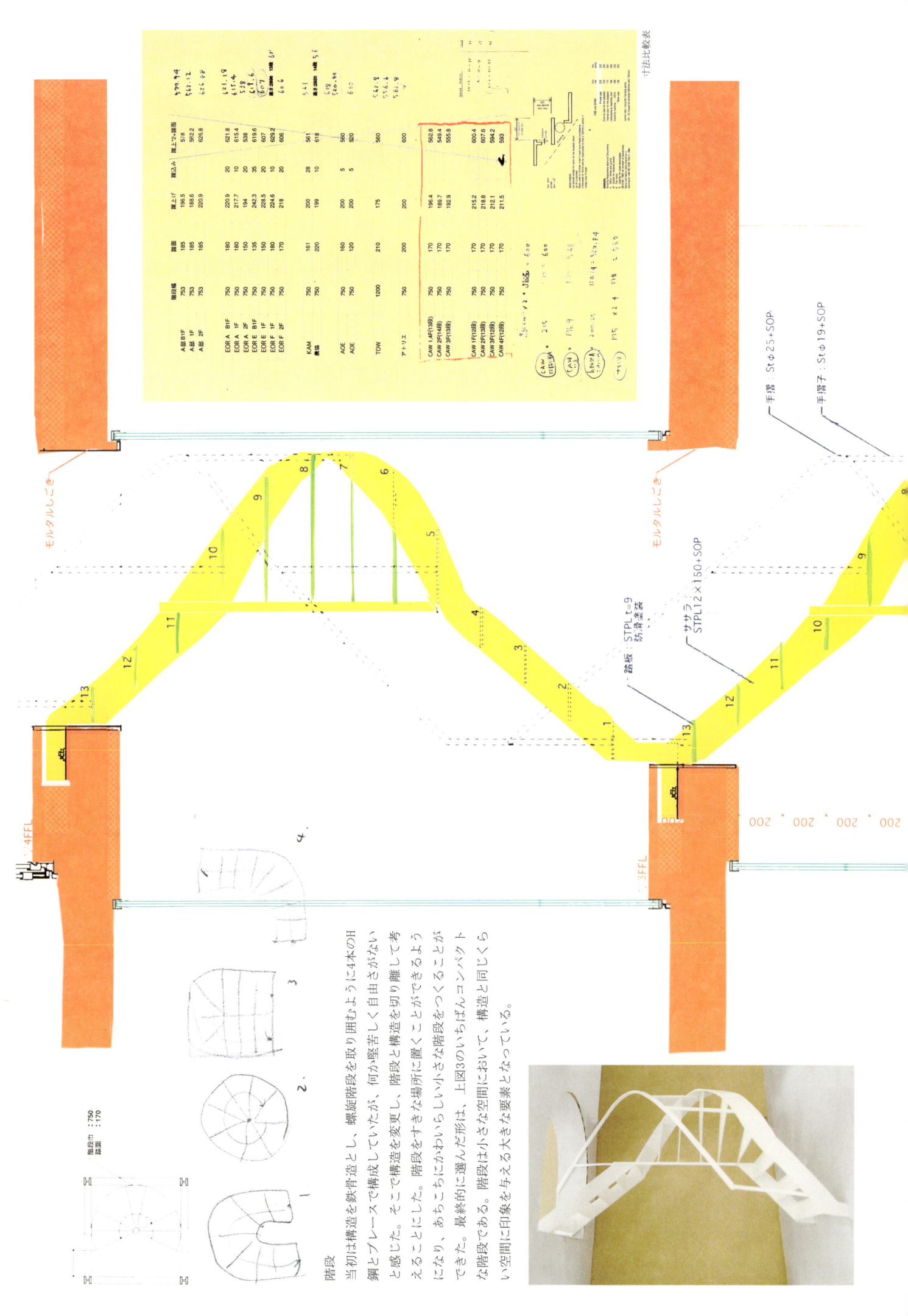

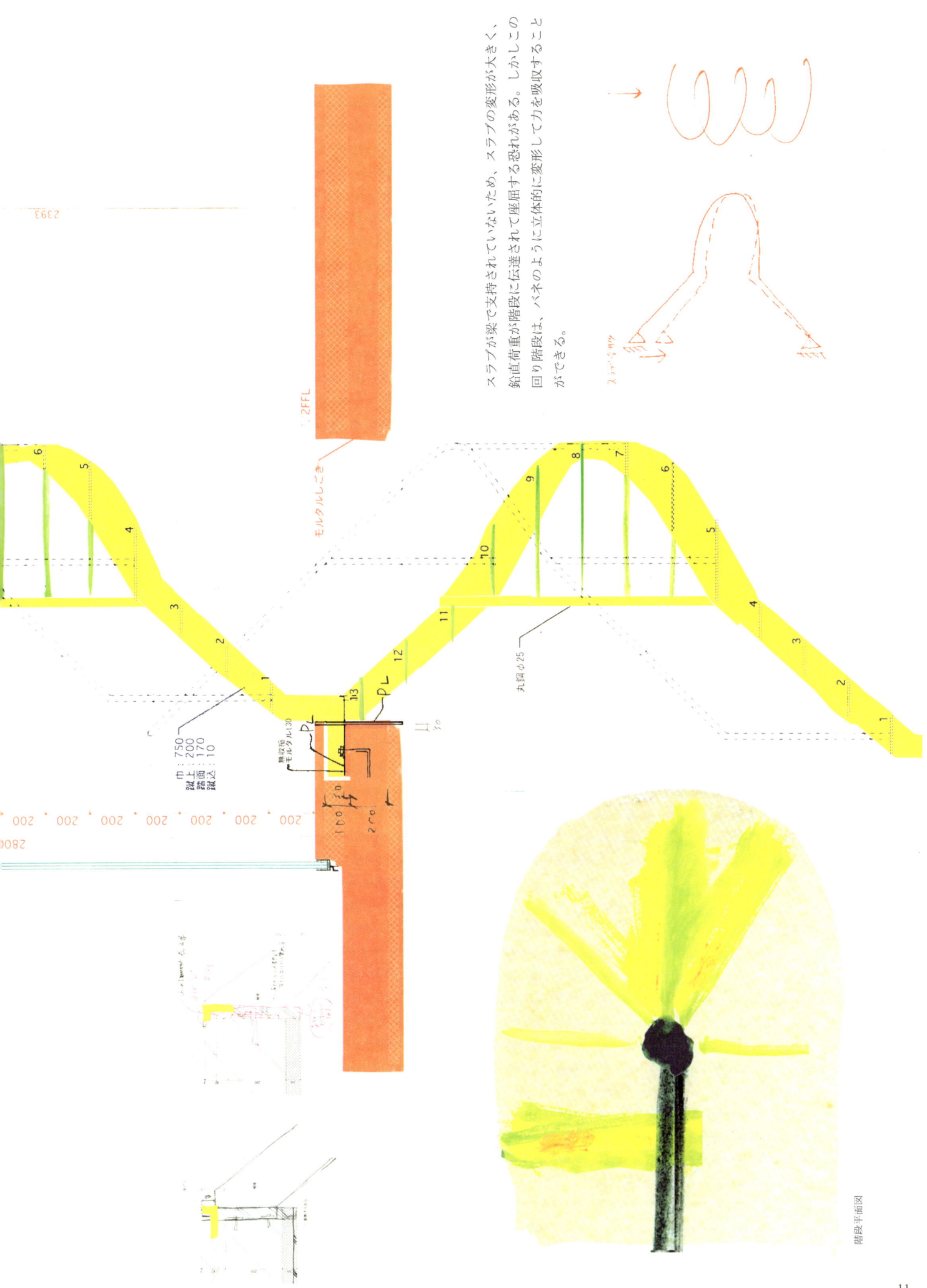

HOUSE A, 2004-2006

古い木造住宅が密集する住宅地に建つ住宅である。クライアントからの要望としては、パーティーが開けるような大きなスペースをどこかに設けたいということ、ゲストが泊まれる部屋、寝室、ダイニングキッチン、浴室など。敷地は南北方向に長い形状をしていて、東西の隣地側はすぐ近くま

で木造家屋が迫って建つような、高密度に建て込んだ場所である。環境としては若干暗めと感じた。そこで、各部屋を数珠つなぎ状に並べつつそれをずらして配置していくことで、ズレから光を取り込んで、全体に明るい環境をつくり出せるのではないかと考えた。

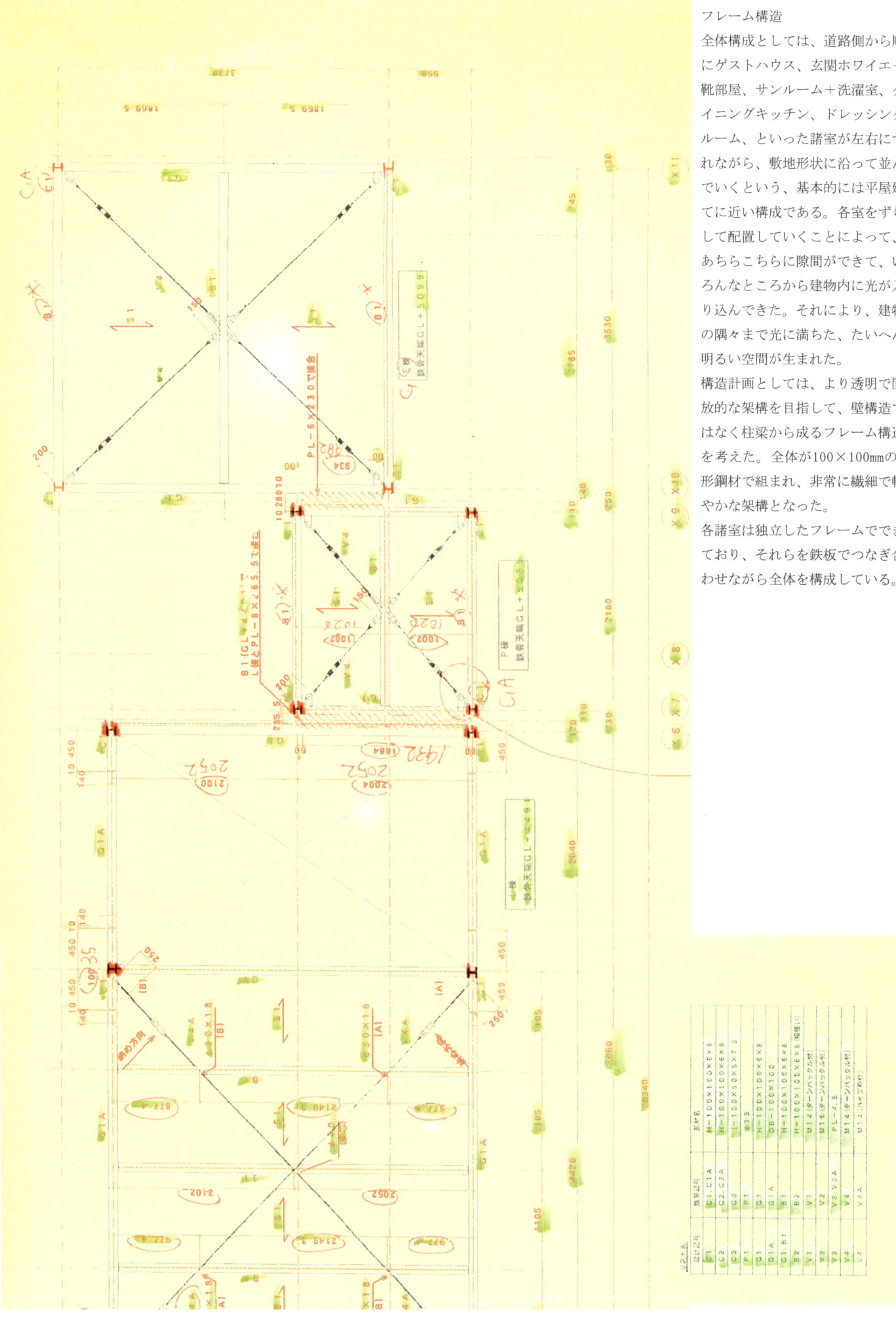

フレーム構造

全体構成としては、道路側から順にゲストハウス、玄関ホワイエ＋靴部屋、サンルーム＋洗濯室、ダイニングキッチン、ドレッシングルーム、といった諸室が左右にずれながら、敷地形状に沿って並んでいくという、基本的には平屋建てに近い構成である。各室をずらして配置していくことによって、あちらこちらに隙間ができて、いろんなところから建物内に光が入り込んできた。それにより、建物の隅々まで光に満ちた、たいへん明るい空間が生まれた。

構造計画としては、より透明で開放的な架構を目指して、壁構造ではなく柱梁から成るフレーム構造を考えた。全体が100×100mmのH形鋼材で組まれ、非常に繊細で軽やかな架構となった。

各諸室は独立したフレームでできており、それらを鉄板でつなぎ合わせながら全体を構成している。

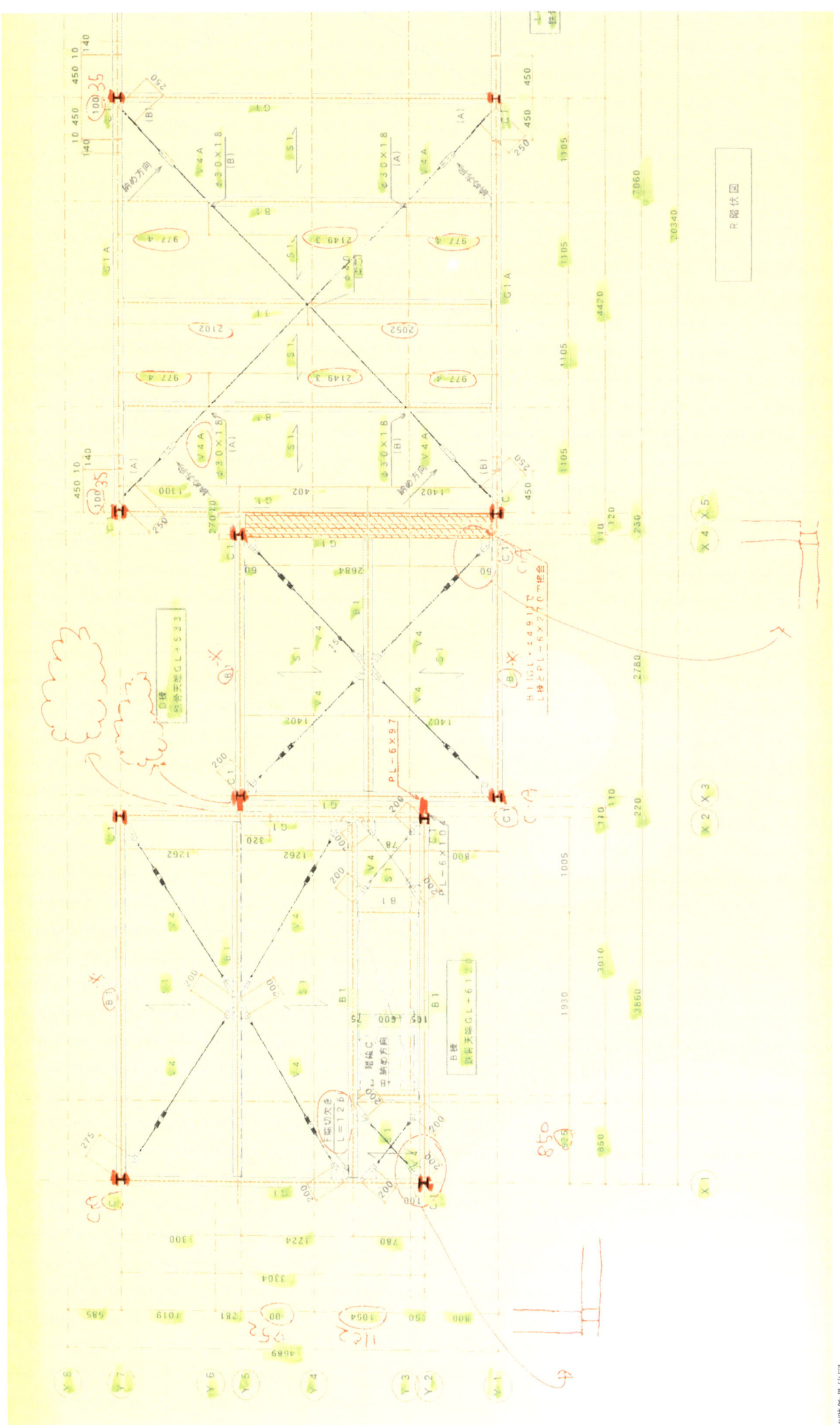

バスリビング

リビングのような大きなバスルームから小さなトイレ室が外に飛び出した構成。床は9mmの構造用合板を2重張りし、ピンで留めている。幅3cm、長さ3mほどの細長い穴を開けてバスタブの前に側溝をつくり、それ以上水が流れ出ていかないようにした。お風呂に入ったり、服を着替えるときは、花模様の大きなカーテンで空間全体を覆う。お気に入りの香水瓶や小物を並べたテーブルや椅子を置いて、お風呂を出た後にちょっとくつろいだり、お化粧をしたりできるような、小さなリビングルームをつくっている。

a-a'断面図

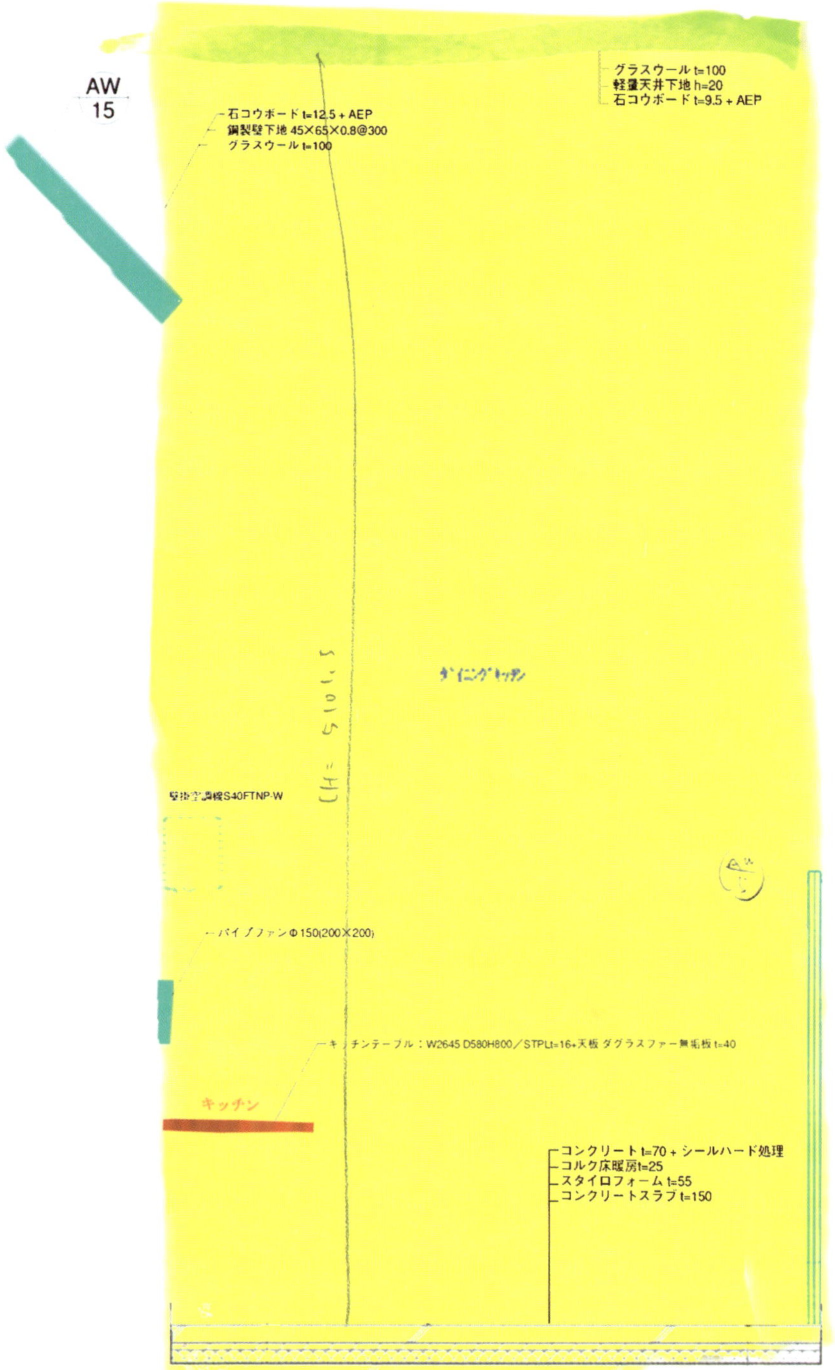

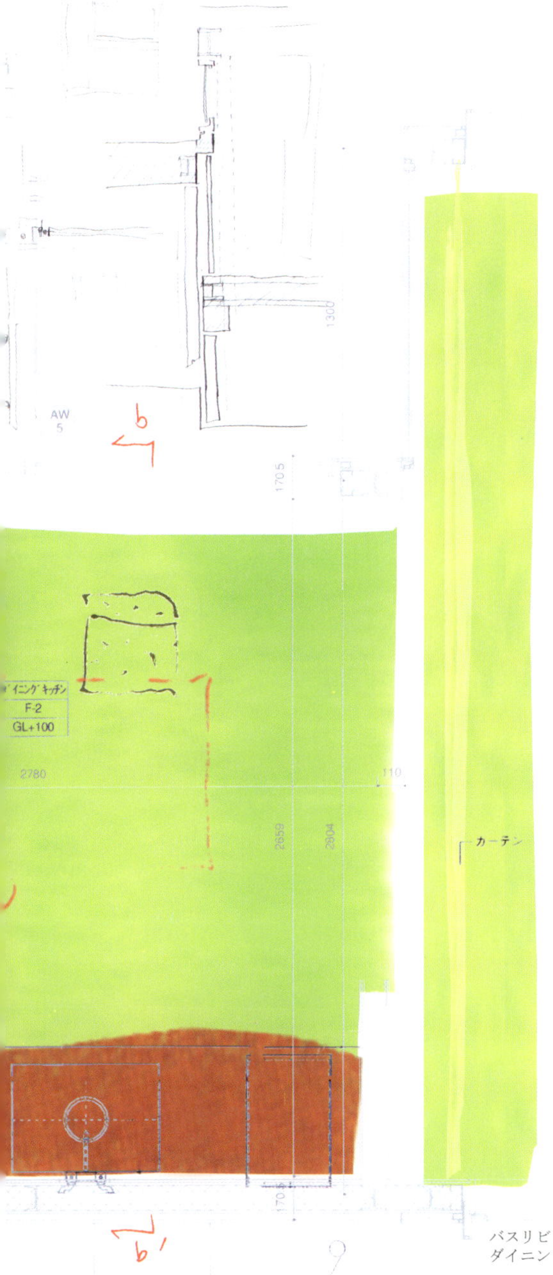

バスリビング
ダイニングキッチン平面図

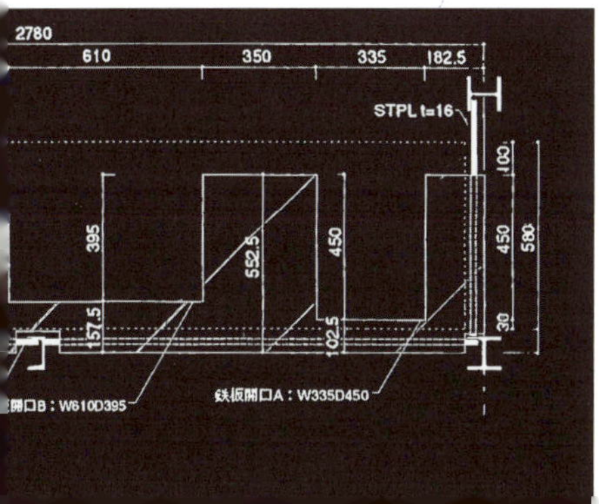

キッチンカウンター
鉄板取付位置図

b-b'断面図

ダイニングキッチン

天井高が5mほどあるダイニングキッチン。木製の無垢材でつくったキッチンカウンターは、壁からキャンチで持ち出された厚さ16mmの鉄板で支えられている。真ん中に小さなテーブルが置けるくらいの小さなキッチンであるが、正面には同じぐらいの大きさの小さな庭があり、隣のリビングからはカーテン越しにたくさんの光がふりそそいでくる。

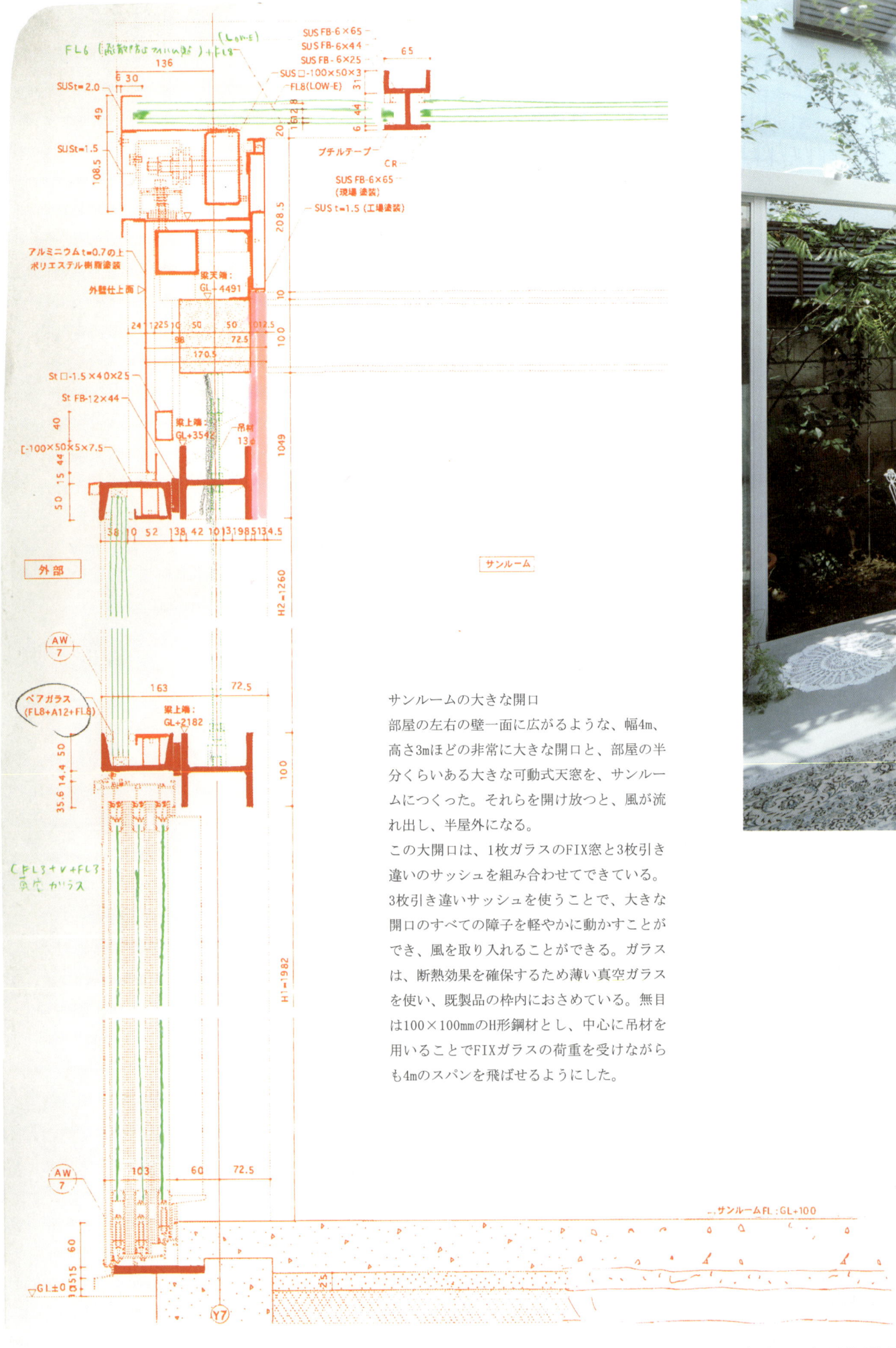

サンルームの大きな開口

部屋の左右の壁一面に広がるような、幅4m、高さ3mほどの非常に大きな開口と、部屋の半分くらいある大きな可動式天窓を、サンルームにつくった。それらを開け放つと、風が流れ出し、半屋外になる。

この大開口は、1枚ガラスのFIX窓と3枚引き違いのサッシを組み合わせてできている。3枚引き違いサッシを使うことで、大きな開口のすべての障子を軽やかに動かすことができ、風を取り入れることができる。ガラスは、断熱効果を確保するため薄い真空ガラスを使い、既製品の枠内におさめている。無目は100×100mmのH形鋼材とし、中心に吊材を用いることでFIXガラスの荷重を受けながらも4mのスパンを飛ばせるようにした。

引き違い窓・トップライト断面詳細図

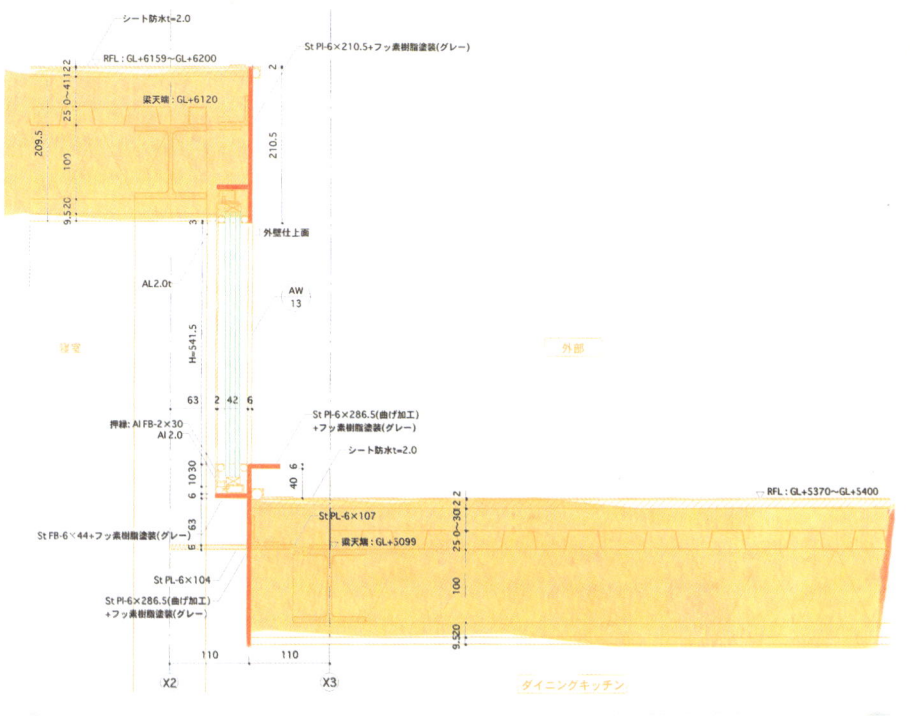

FIX窓

いろんな方向から光を取り入れるために、隣り合う各部屋がずれた部分をすべてガラスとした。それによって、庭や空などの外部空間が非常に近くなり、内外の連続性が生まれた。
ずれたことによって現れたスラブや壁の小口は、ガラスを支えるサッシ受けともなるような、6mmの鉄板でふさいでいる。

FIX窓断面詳細図

防水端部押工金物:塩ビ鋼鈑
FLA-13N L-15×50×2

シート防水 t=2.0
耐水用合板 t=12
根太+スタイロ断熱 h=0〜70
キーストンプレート h=25
St H-100×100

RFL:GL5138〜GL+5200

AW
21

TP
2

トップライト用スライドレール

St PL-6×149+フッ素樹脂塗装
St PL-6×265.5+フッ素樹脂塗装

楽天端:GL+4491

230　　　　　7060

サンルーム

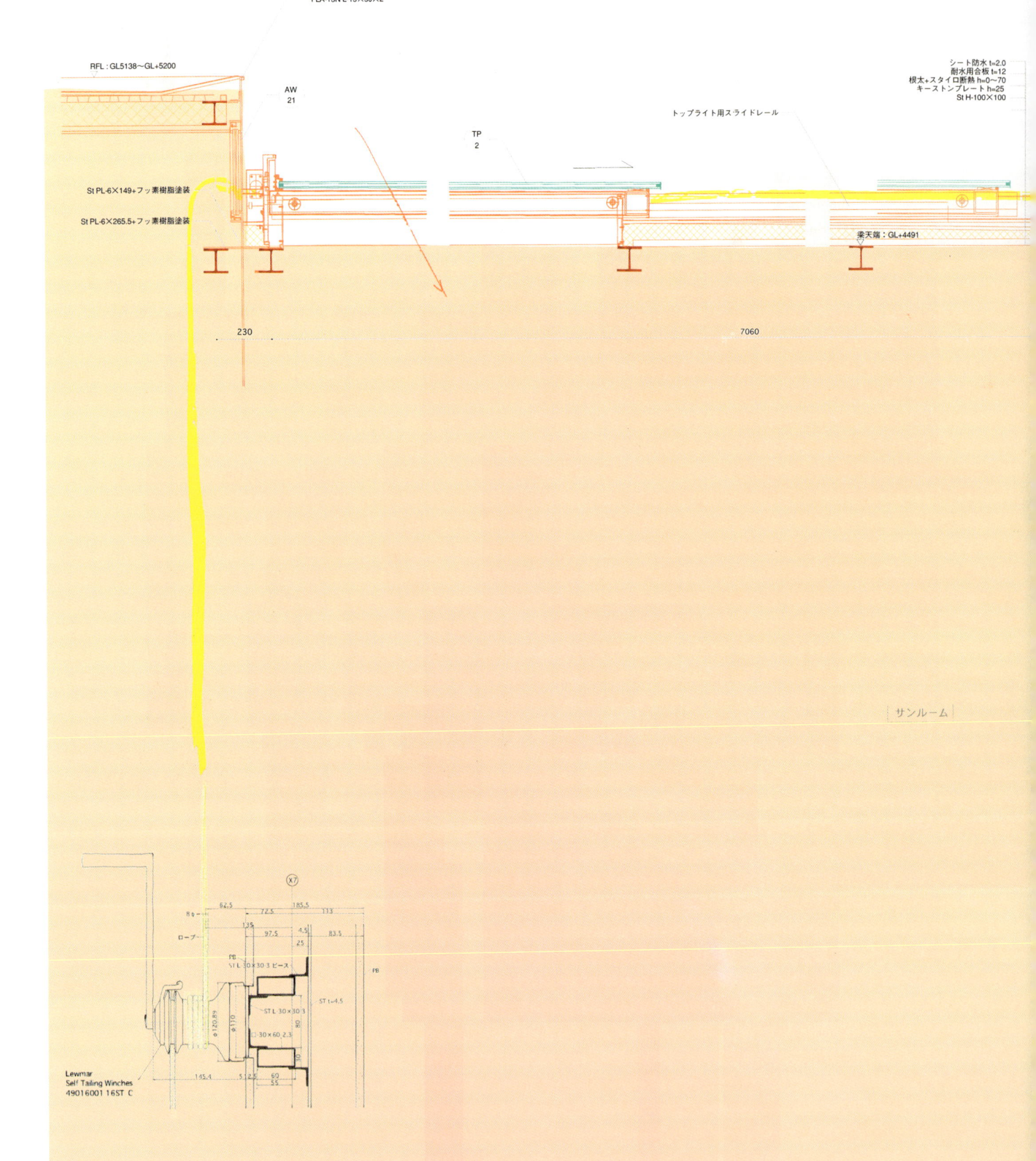

Lewmar
Self Tailing Winches
49016001 16ST C

サンルームのトップライト

トップライトは、生活のなかで気軽に開け閉めできるような、簡単に動かせるものにしたかった。開口としては非常に大きいため、サッシュとガラスを含めるとかなりの重さとなり、レールや滑車、動かし方の仕組みをできるだけ単純な機構にする必要があった。そこで、ヨットの帆などを広げる際に使う滑車とウィンチを利用することで、開けるときも閉めるときも単純にヒモを引っ張るだけという簡単な仕組みとした。ウィンチに付いているハンドルを、片手でぐるぐるとまわすだけで、室内に青空が広がっていく。

開閉機構説明図

全開したトップライト

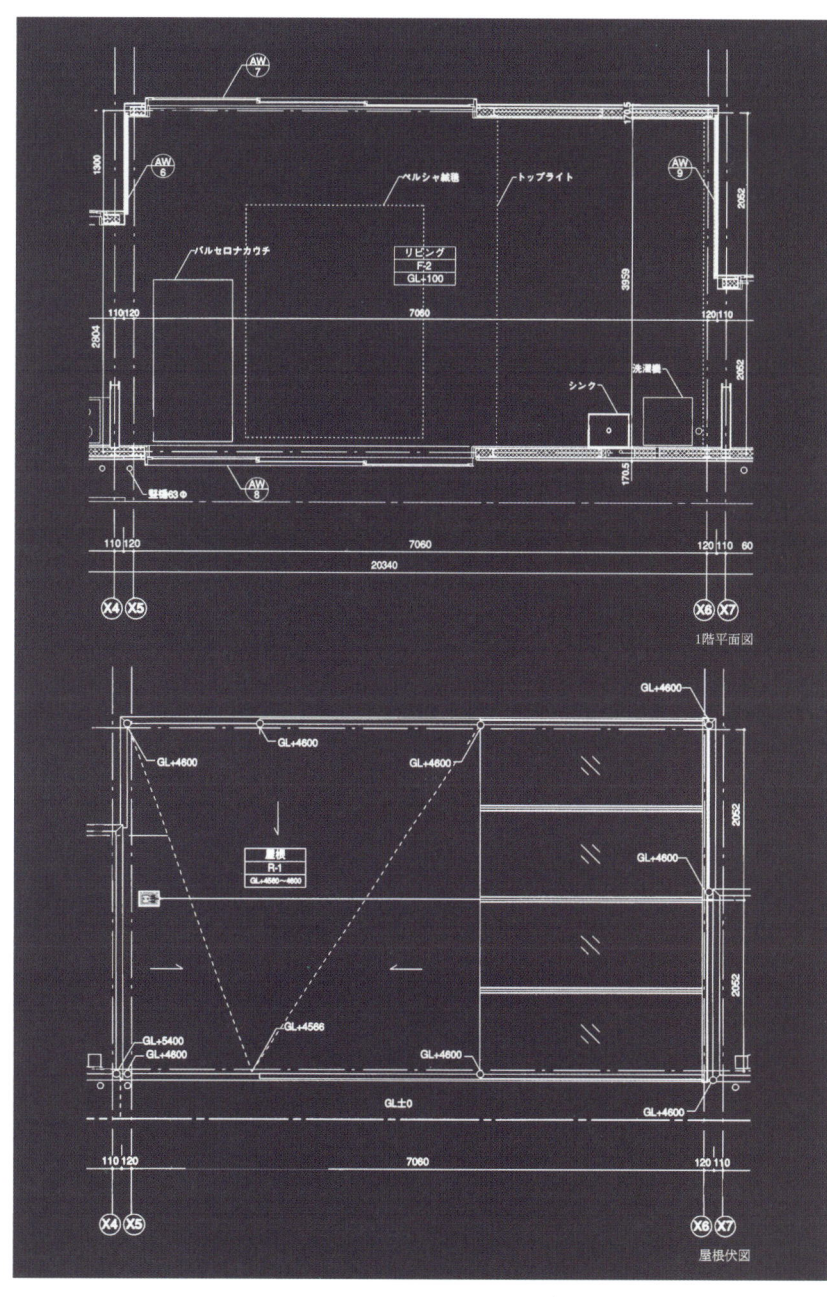

どの部屋も庭や青空がとても近く感じられ、どこまでが室内でどこからが屋外かわからないくらい、部屋全体に風が通り抜け、やわらかい日差しが入り込む。室内というよりは、青空の下の庭に家具やソファー、花や木がばらばらと並んでいるような感じのスペースができた。窓越しに見えるまわりの古い木造家屋や、遠くに見えるビル群、すぐそこにある家具や庭の木々や花々が、同時にそこにある感じがする。環境につつまれてくらしていることを感じる空間。

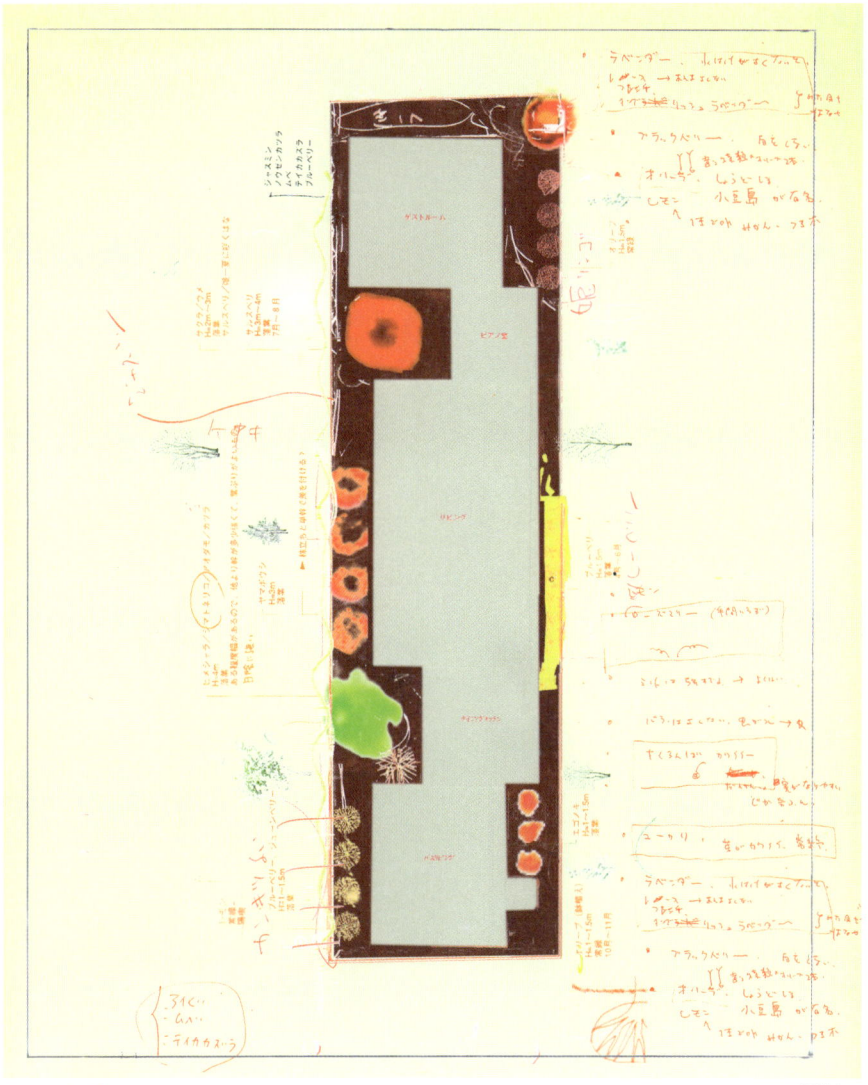

シマトネリコ

オリーブ

検討メモ

ヒメリンゴ

サルスベリ

トネリコ：落葉高木
山地の湿地の周辺などに多く生える。以前は刈り取った稲を干す稲架木用として、水田の畦に植えられた。今では、材がアオダモとともに野球のバットなどに使われる。花期は4〜5月。葉が開くと同時に開花するが、雄花雌花とも花びらがなく地味な印象。秋に熟す種子は翼がある風に飛ぶ。

ソメイヨシノ：落葉高木
各地の公園や河川沿いの並木に植えられていて、人々に最も親しまれているサクラだろう。花見の宴を盛り上げるのも、子供の入学式を彩るのもこのサクラ。秋の紅葉も意外にきれいで、季節感のある木でもある。エドヒガンとオオシマザクラの雑種と考えられていて、江戸時代に染井村（今の東京都豊島区）で吉野桜の名前で売り出されたのが名前の由来。

10月桜：落葉高木
花は中輪、八重咲きで淡紅色。開花期は4月上旬、10、12月。
10月頃から咲き始め、翌春にも咲く、年2回花を咲かせる珍しい桜。

サルスベリ：落葉中高木
夏から秋にかけて、鮮やかな赤紫色やまぶしい白色の花を咲かせ続け、目を楽しませてくれる。漢字名は百日間も咲き続けると言う意味。樹皮がはがれ滑らかな木肌が現れるのもこの木の大きな特徴で、和名はこの木はサルでも滑り落ちる、と言う意味。花期は7〜9月。花は枝先に房のように咲き、花びらは縮れて波打ち、基部が柄のように細くなる。

オリーブ：常緑小高木
紀元前の時代から地中海地方で栽培されていたと言われる樹木で、若い果実は塩漬けにして食用に、熟した果実からはオリーブ油を採集する。国内では江戸時代に渡来して、現在は香川県小豆島が最大産地。花期は5〜7月。枝先に黄白色で香りのある小さな花を多数付ける。

レモン：常緑小高木
ヒマラヤ地方、マレーシア原産で樹勢が強く、刺がある枝が立ち上がり、放置するとウンシュウミカンよりも大きくなる。花は径3〜4cmの白色で、外側は紫色をおび、花冠は黄色になる。果実は長さ8〜10cmの楕円で、10、12月に黄色に熟す。葉はキクを切ると酸味で、表皮には大小の油点がある。

はっさく：常緑小高木
ミカン科で柑橘類のひとつ。果実は夏みかんに似るが、やや小さく皮が厚い。

姫リンゴ：落葉小高木
その名前の通り、秋に小さなリンゴの実を枝からたわわに吊り下げる。エゾノコリンゴと中国原産のイヌリンゴの雑種とされる。果実だけでなく、4〜5月に咲く花も魅力的。紅色の蕾が開くに従って白くなるので、花の時期には紅白の花が1本の木に混ざり合って華やかな雰囲気になる。

ブルーベリー：落葉低木
北アメリカ原産のスノキ属数種の総称で、日本で栽培されているのはヌマスノキが多い。甘酸っぱい青紫色の実はさまざまに利用でき、庭木としても人気が高い。花期は4〜6月。枝先に白い壺形の花を咲かせる。果期は7〜8月。

十月桜

植栽計画
ずらしたことによってできた隙間に庭をつくり、たくさんの植物を植えていった。大きな木は山へ行って、1本1本枝振りを見ながら、かわいい木を選んだ。5月と10月に花を咲かせる十月桜や、夏に花をつけるサルスベリ、実のなるレモンやはっさく、ブルーベリーなど季節によって楽しめるような植栽計画にしている。

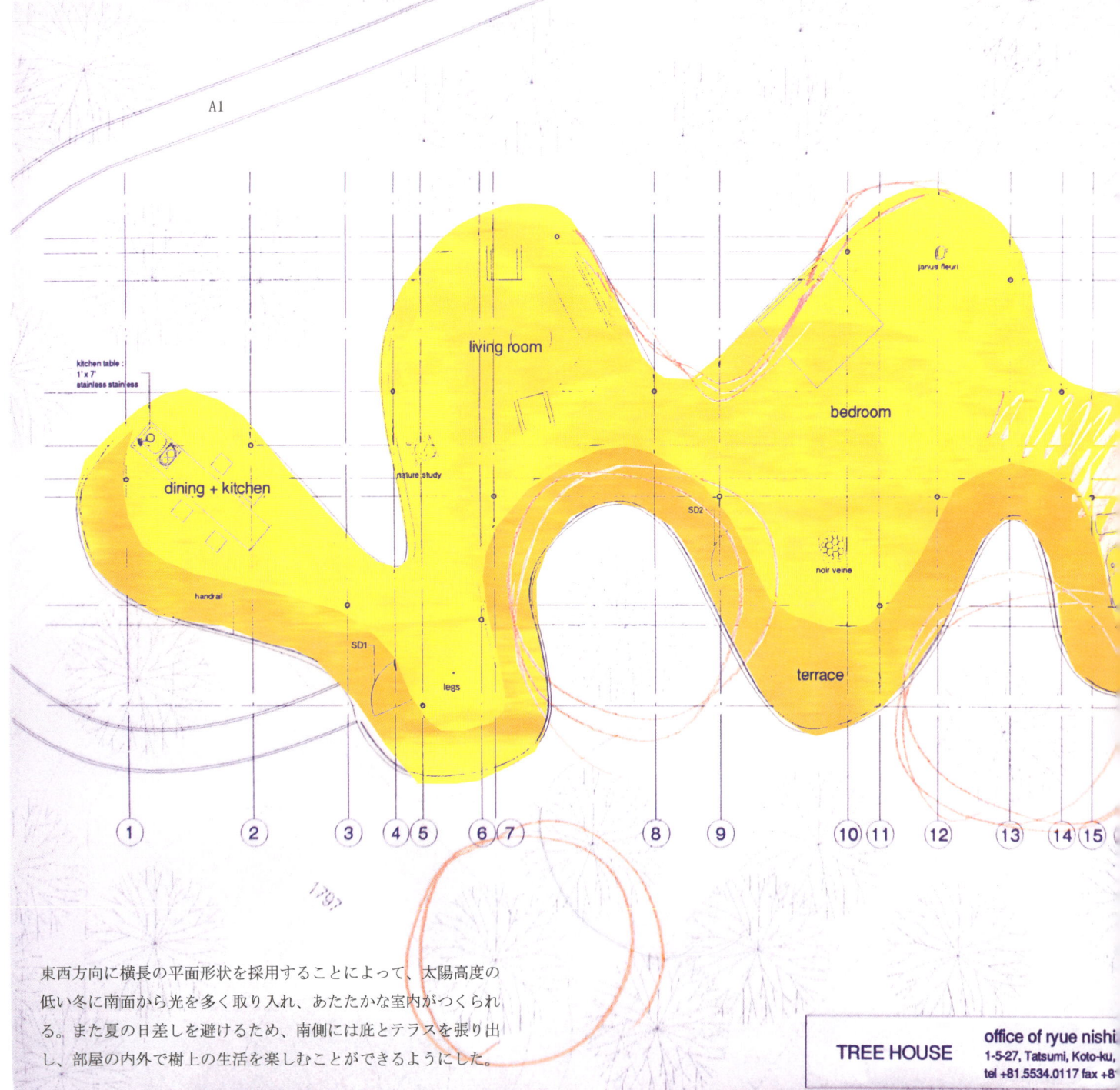

東西方向に横長の平面形状を採用することによって、太陽高度の低い冬に南面から光を多く取り入れ、あたたかな室内がつくられる。また夏の日差しを避けるため、南側には庇とテラスを張り出し、部屋の内外で樹上の生活を楽しむことができるようにした。

TREE HOUSE — office of ryue nishi...
1-5-27, Tatsumi, Koto-ku,
tel +81.5534.0117 fax +8...

Yes, I think setting schedule would be good. I saw ____ for lunch a few days ago just to say hello. We spoke about the shape alittle, but he understood it was just a shape in progress. He didn't seem concerned that we haven't spoken to him in awhile. He was busy too - much travel to set up exhibitions. Since his guest his is about finished, he seems not too worried about finishing our house quickly. He said we should take the time we need to develop it well.

But it is good to work more on it and develop schedule.

He said some general things about the house. His comments:

1. The bedroom is bigger than the living room. He thought this was abit strange. He said he woudl spend most of his time in the living room. I think he didn't see that the house was really one big room with a sleeping 'zone'. But this was a simple comment he said.

2. The terrace doesn't need to be all of the south he said. I explained that for energy it is good to have terrace on south - it blocks sun. He said it would be good to have one bigger area on the terrace where 3 people can sit comfortably.

3. He said he really likes the west and south views from the mountain top. You can see very far.

4. There is alot of ice during the winter, so he was still wondering how he will get up the entrance ramp. During deep winter, all the trees are covered in ice.

5. He likes uninterrupted views. So less mullion and columns inside the house is better. If we have mullions for glass at every 5' or so, it may be too much? He wasn't sure. I explained that acrylic wall would be completely clear view. But he said he really doesn't like acrylic. He mentioned that he likes white/translucent glass. I'm not sure what he meant. He said he's not sure why he said that too - but a thought that popped in his head. Maybe some of the exterior walls are clear, while others are translucent or opaque he thought?

6. He said he would really like to have a fire place. He said one small chimney sticking out of roof does not bother him. He was wondering if a scandanavian type fire place (light metal one) or such could be a possibility? He thougth it would add a nice activity for him during the cold winters. This activity seemed important to him.

7. He liked location C for the basement. It's farther away from house so he will not see it as much.

8. ▨ (builder) met with a forest expert. The expert said many of the trees around the construction site should be cut down with new trees planted after construction. They will need to dig out rock and make pockets for soil so trees can grow better. He said many of the trees on the mountain top are having trouble surviving the extreme weather - very strong wind and cold winters (with much ice). I got alittle worried when I heard this....

I looked at the proportion sketch you sent. I agree that it seems better if house if 9-10ft tall. Better proportion. 30ft is maximum height, so we cannot go farther up. But the trees are not much taller than 30ft, so if we had a chance to build taller, the house will start to stick up higher than the trees.

▨ talks alot about proportion of space. He seems very aware of this. I explained the studies of shape 301 and 309. He understood that 301 with 2,500 sf is too big for the site. It seemed he liked about size of 309 on site. But sometimes I wonder if he can really see all this since it was alittle hard to see relationship of house to site in the photos.

写真だとわかりづらい

I think he also thinks alot about how art fits into space. His his profesion is to install ▨ artwork at museum exhibitions- he is always thinking of this.

But generally, ▨ seemed to be in a good mood. It seems he's concentrating on finally finishing the guest house. About a few more weeks away from total finish. Then the holidays (x-mas and new yeras will be here).

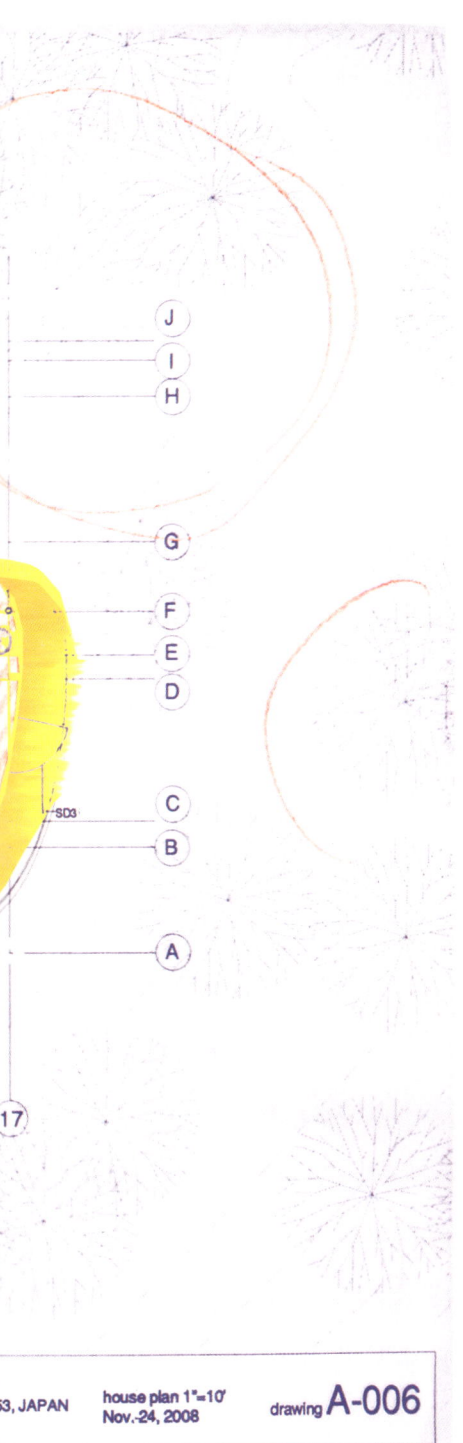

ニューヨークのヴィラ
Villa in New York, 2008-

マンハッタンから車で3時間の小さな山の中に計画されているヴィラである。クライアントからは、4つのアート作品が置けるリビングスペースと小さなキッチン、大きなベッドが置けるスペース、バスルームが要望された。周辺は巨大な木々が立ち並び、眼下には雄大な景色が広がっている。敷地はこの森の中であればどこでも自由に選ぶことができた。

そこで私たちは、リビング、キッチンといったこれらの機能を地上から切り離し、空中に浮かばせて、見晴らしのよい山のいちばん高いところに配置した。そして有機的なカーブによって木々を避けつつ空間をやわらかく分けていった。室内は、ソファーやテーブル、バスタブ、アートコレクションが緑と交ざり合いながら、空中を漂うように浮かんでいる。

このヴィラへのアプローチは大きな弧を描くゆるいスロープによる(平面図のA1)。スロープは林の中を巡りながら、ゆっくりと建物に辿り着く。

平面図

床の断面スケッチ

鉄骨の丸柱とコンクリートスラブによる構成である。より軽やかでシャープなコンクリートを目指して、高性能で厚みの薄いバキュームパネル（断熱材）を使って、全体のスラブ厚を薄くしている。内部・外部を貫通する丸柱にはヒートブリッジ対策として、絶縁しながらも応力伝達を行うための柱継手を使用した。山の中にあるため、冬はとても寒い。建物が空に浮いているため、断熱や環境対策には特に注意している。空調は地熱を利用した冷温水循環システムを使い、建物全体のエネルギー消費量を抑えている。

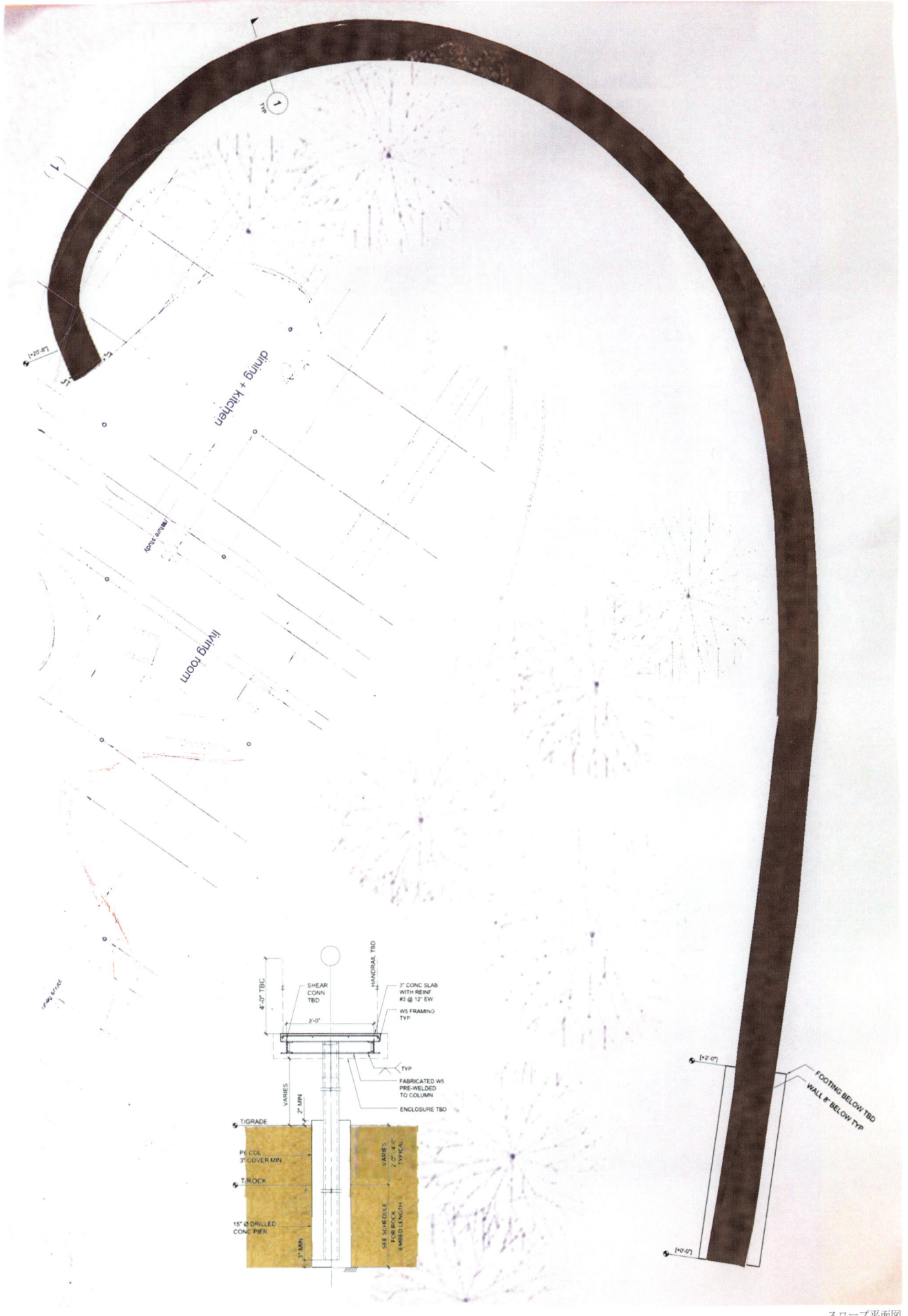

スロープ平面図

スロープ

大きく弧を描くスロープによって、少しずつ上に上っていく。柱のピッチを広く取り、かつ床が薄くできるように、鉄骨造で検討を進めている。

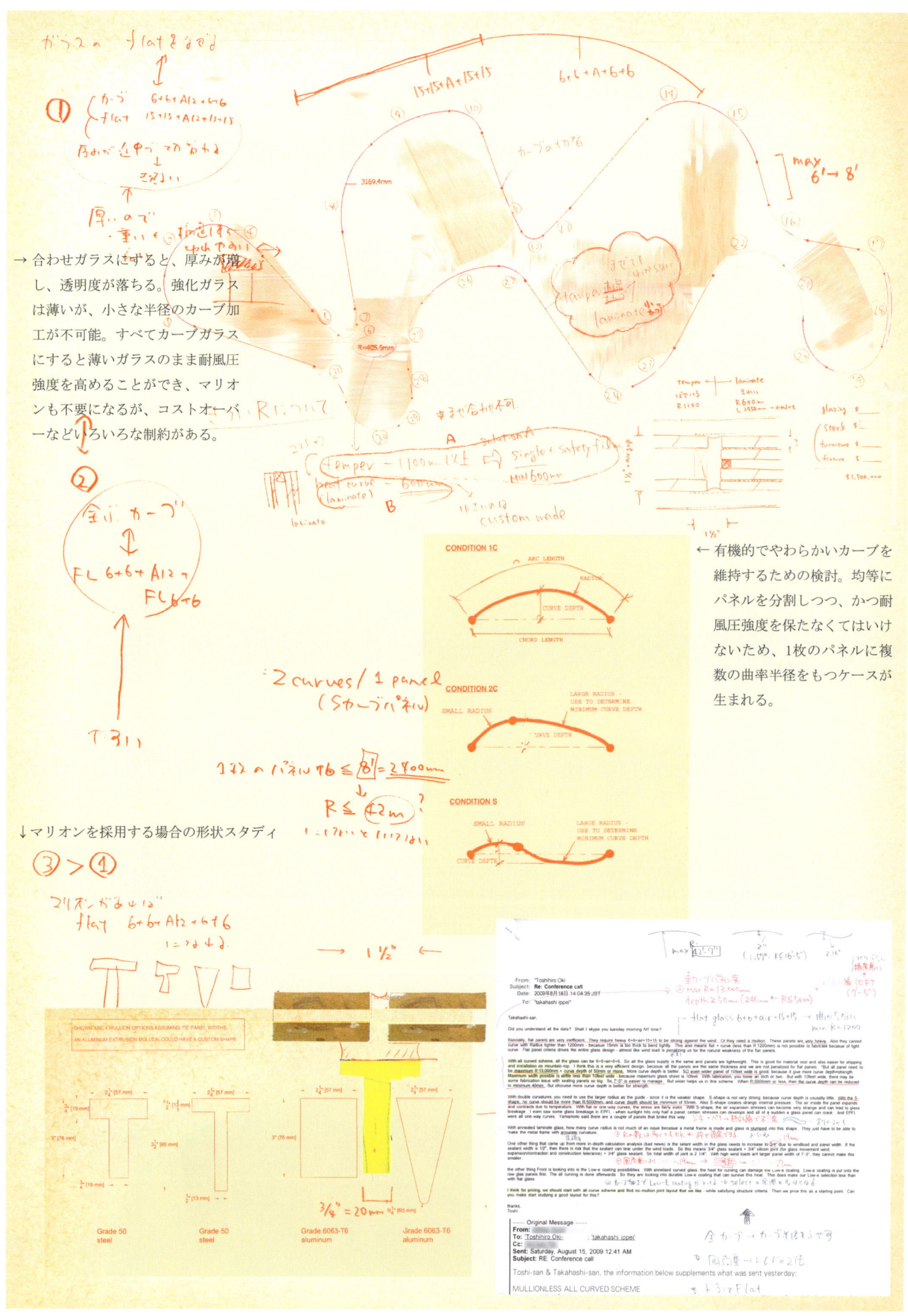

ガラスファサード検討メモ

周辺の木々と交ざり合うように、すべてのファサードは透明なガラスで構成されている。温熱環境上、ペアガラスを使用している。意匠的には、フリーハンドのようなやわらかい形状を維持するために、さまざまな検討を行っている。

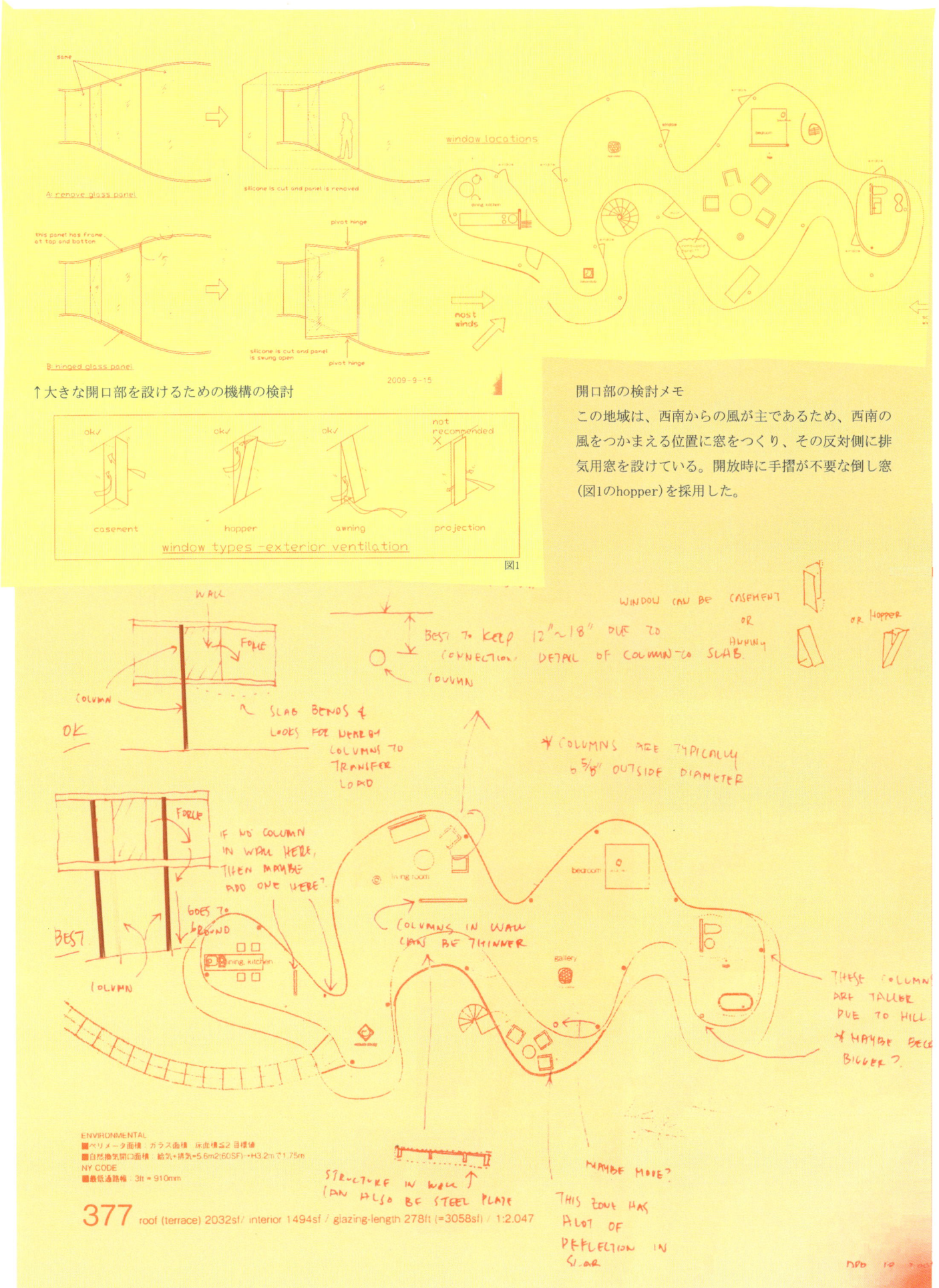

↑ 大きな開口部を設けるための機構の検討

開口部の検討メモ
この地域は、西南からの風が主であるため、西南の風をつかまえる位置に窓をつくり、その反対側に排気用窓を設けている。開放時に手摺が不要な倒し窓（図1のhopper）を採用した。

柱・耐震壁の配置検討
天井まである8インチほどの丸柱と耐震壁が部屋の中に現れるため、なるべく邪魔にならないように位置を調整している。柱はキャンチレバー部分のたわみが小さくなるよう、なるべく外側に、耐震壁はキッチンやリビング、バスルームといった機能をやわらかく分割できる場所に置いた。家具やアート、構造、周辺の自然が交ざり合うような風景を想像している。

軽井沢研究所
K-Project, 2007–

軽井沢に計画中の、企業の研究所／研修所である。

敷地はバイパス道路に面しており、夏場は平日、休日問わずにぎやかな場所になる。裏手は畑やテニスコート、閑静な住宅街になっており、2方向からアプローチすることができる敷地。

道路沿いから見た風景。周辺にはたくさんの木々が植えられている。

3.5mほどのゆるやかな高低差をもった、不整形な土地である。

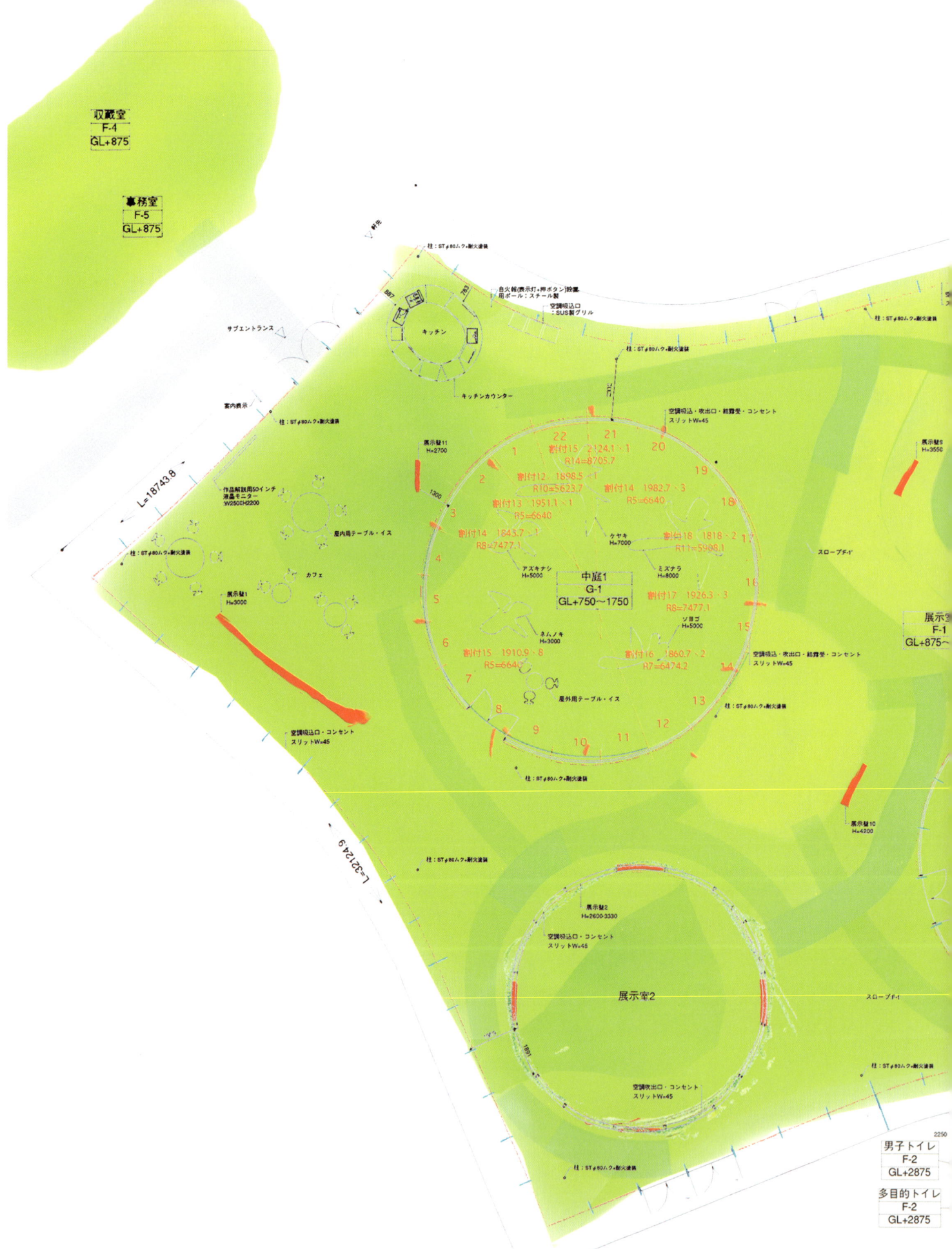

平面計画

企業収蔵のコレクションの展示スペースを併設した研究所である。人々が集まってくつろいだり、レクチャーや研修といった多彩な使い方ができるスペースと、アートを展示するスペースが同時に求められた。3.5mほどの高低差のある地形であったことから、敷地に合わせてゆるやかに傾斜した床と、その上に浮かぶカーブした屋根にはさまれた、ランドスケープのようなワンルームの空間を提案した。建物内にはいくつかの庭と絵のための展示壁がばらばらと配置されている。研究室や展示室、カフェ、レクチャーホール、ロビーといったものがワンルームの中に並んでいて、緑と作品

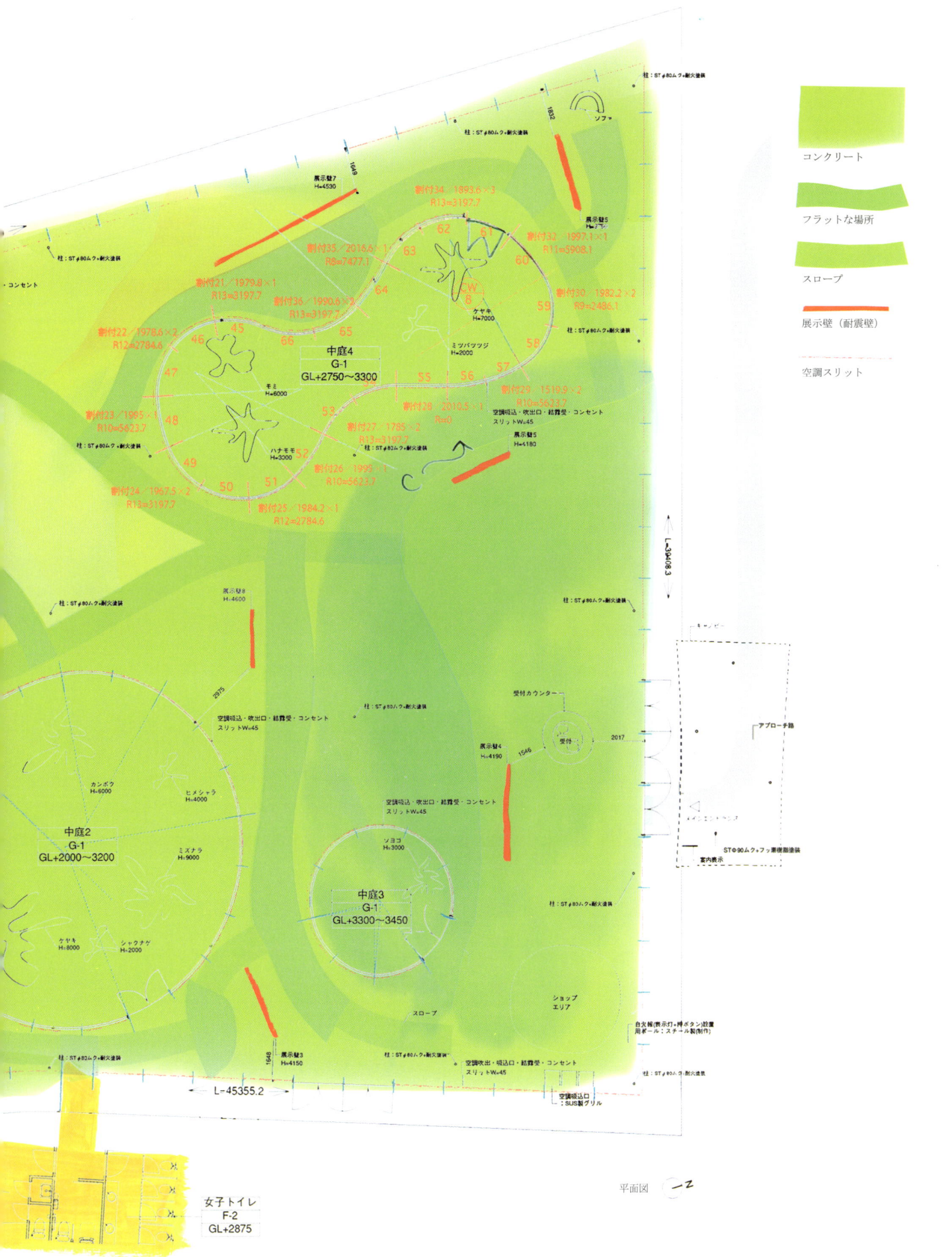

と光、人々の活動が交ざり合う。空間全体が美術展示空間でもあり、絵のまわりにソファーがあって、自分のリビングのようにくつろぐことができる。ラウンジのようでもあり、カフェのようなものでもあり、また研修所でもあるような空間を目指している。外周はすべてガラス張りで、空間がまわりの緑まで連続する。床はゆるやかに起伏しながら、さまざまな場所へと導いてくれ、そのまま外のランドスケープにつながってゆく。構造は鉄骨造で、全体にちりばめられた展示壁でもある耐震壁と、80〜100φの独立柱によって構成されている。

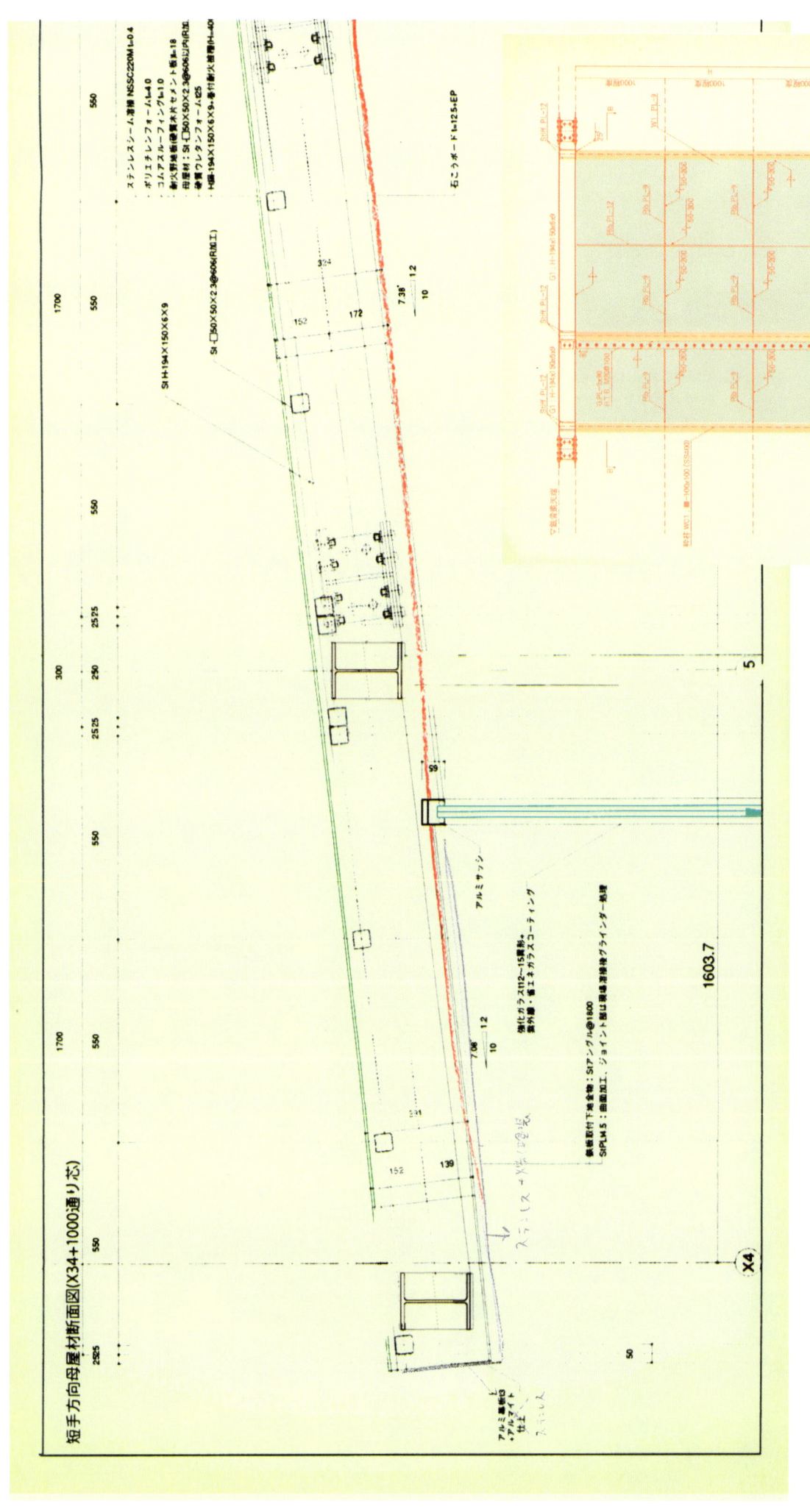

ゆるやかな屋根と庇

床と屋根という2つのレイヤーが違った形でカーブしながら、天井が高くなったり低くなったり、変化するスペースをつくり出す。耐震壁は100mm角の無垢材を枠柱として、鉄板を中央に取り付けている。敷地の傾斜から勾配が決まった床に対して、屋根のカーブは、この壁がラムダに配置されることで、ゆるやかな3次曲面の屋根形状がつくり上げられた。屋根の庇の端部は291mm。大スパンを飛ばすために先端近くまで構造が必要であり、なるべく仕上げ材があらけてこないように母屋材の寸法、ピッチやボルトの位置をぎり施工できる程度まで調整し、厚みを最小限に抑えるようにした。幕板はステンレス仕上げとし、軒裏はガラスをはさんで室内の連続性が保たれるよう、ステンレスの白い焼き付け塗装としている。

34

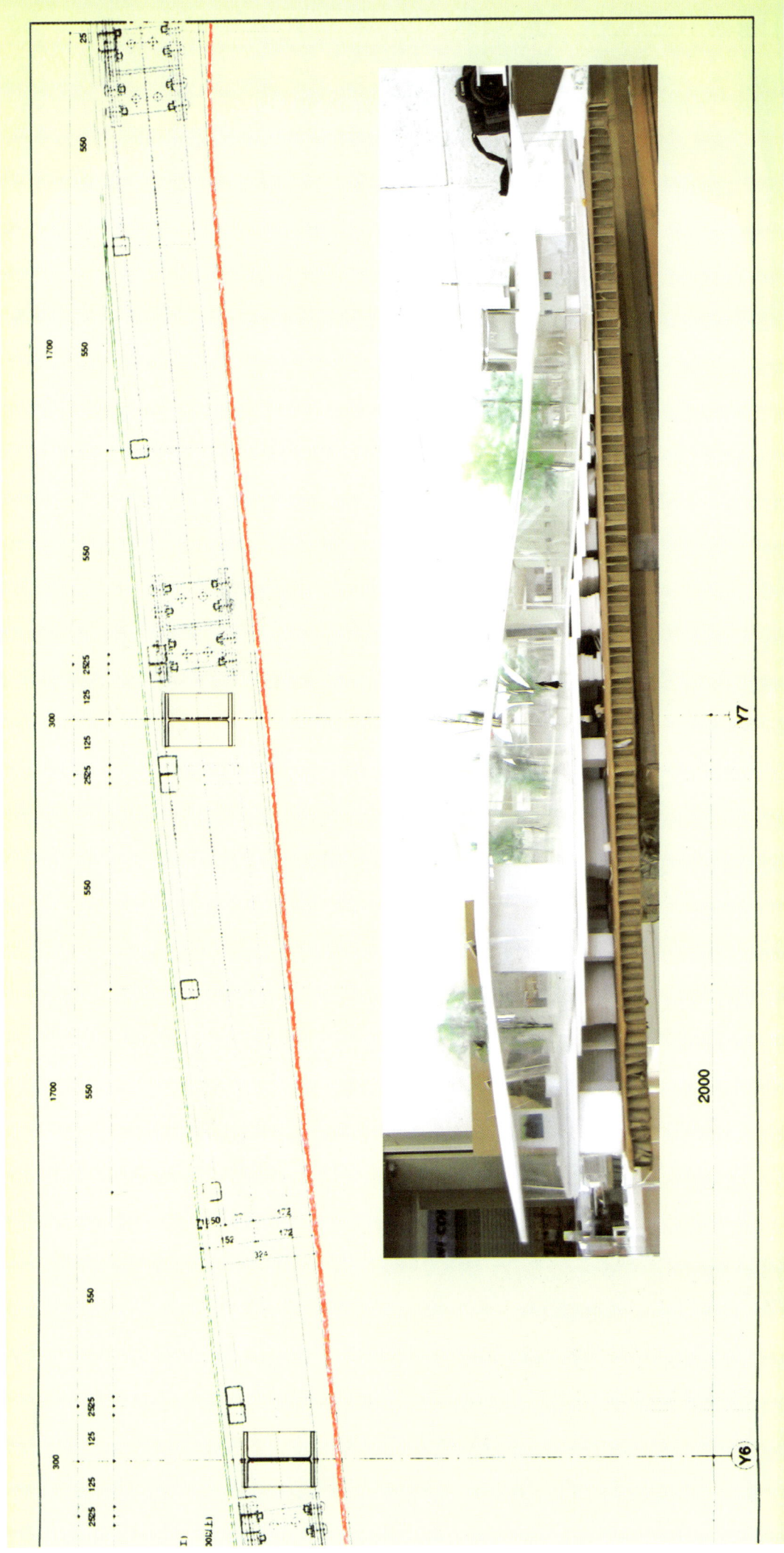

屋根の外形は約70×40mで、天井高は高いところで5m、端部では2.5m。平面の大きさに比して柱や壁が少なく、屋根と床がゆるやかにうねりを繰り返しながらそのままランドスケープにつながっていくような、透明でおおらかな空間が広がっている。

2009年12月の現場。

屋根は単純な格子梁で、2mグリッドで構成される。メインの部材は194×150mmのH鋼。3次元にするとコストが非常に高くなり加工も困難になるため、多角形状で構成している。ジョイント部はサイコロ状のビルド用に、4方からくる異なる角度の梁が取り付けられる。

さらに野地板が張られ、ゆるやかな曲面ができ上がっていく。

十和田市現代美術館
Towada Art Center, 2005-2008

街の地図 / a 美術館敷地　b 官庁街通り　c 公共施設　d 空地

設計提案書

野外芸術文化ゾーンは官庁街通りを中心に通り全体を美術館とし、空地が富裕素材るせたいう都市的なヴィジョンのもとに計画されています。その中の核となるアートセンターによって活性化さ官庁街通りやに街にどのような提案をしていくかが重要なことであると捉えます。建築自身が孤立してデザインを主張するのではなく、環境と融合し、アートと結合するようなアートセンターを実現することが建築としての役割だと考えます。

広場と建物が反復する都市ストラクチャー

現在の官庁街通りには街を形作る構造が存在しています。それは一広場と建物が平面的に反復して並んでいるという構造です。官庁街通りは街の中心にありながら、広々とした広場を多く持っています。しかし、広場と建物が等価に存在するという街のストラクチャーはこの場所を他には

一方で、広場が使い道のない空き地として存在しているため、街の景観を壊しているという問題を抱えています。

私たちはこの広場と建物の反復のストラクチャーを継承して、建物を分棟配置にします。分棟配置にすることで、敷地内にも広場を創り出し、敷地全体に屋内展示と屋外展示が広がっていくような空間

魅力的な街へと再生するポテンシャルを持っています。

街のようなアートセンター

アートセンターを積極的に街に対して開放し、大小のヴォリュームをつくることで、官庁街通り沿いの大きな野外のアート広場を連続し、周辺の環境や他のスケールの建物からなる街並みと連続していくことで、アートセンターに求められている大きな役割の一つです。アートセンターを街の中にあるような、それ自身が街であるようなアートセンターを提案します。具体的には、アートセンター内の個々の部屋と距離をとり、敷地内の各所に分散配置することによって、敷地内に屋外イベントスペースを生み出します。それらは渡り廊下によってつながるように建ち、渡り廊下を通して回遊することや、屋内広場という屋内空間と屋外空間の両方を体験することができます。部屋のいくつかはまとまって一つの大小のハコのようなヴォリュームとなります。状況に応じて大小のハコの中にいろいろな構成の部屋が作られていて、一つの街のようなアートセンターをつくります。独立して並ぶ部屋は、街の中の建物のようにつかい、ハコの中の部屋と広場が密接な関係をもちます。アート作品と広場が接することで、アート作品を通して体験する内部と外部の反復はアートセンターの屋内空間と広場を緩やかにつなげ、さらにはアートセンターと街をつなげていきます。

アートの街の空間構成

アートセンターを部屋の配置と機能によってゾーニングします。エントランスから両側に展示室群を配置します。エントランスを官庁街通りに面して敷地の中央に配置します。明るい庭に面して休憩できることができ、ワークショップを行うこともできます。東側には屋外イベントスペースを設計します。その周りを囲むように空間形状をもったスペースや市民の活動スペースを取り、市民活動エリアを設けることにより、地域の活性化にもはかられています。ギャラリーエリアは、敷地の中央に配置するように、市民の活動スペースにも展示室にも両方に行くことができるように、交差点付近には、市民はチケットを持たずにアクセスできる無料スペースとし、また特別なイベントなどで必要に応じて有料にすることもでき、ギャラリーと展示室を一体として体験することもでき、また別々の展覧会として動線をわけることもできます。

アートのための家

展示室を独立して配置した空間構成にすることで、以下のようなメリットがあります。

1. それぞれの展示室が自由な空間形状を持つことができる。
2. 個々の部屋が他の部屋と距離を持ち、展示室同士のプライバシーが保たれる。
3. 部屋のプロポーションとサイズをアートの個性に合わせて決定できる。
4. 四周どこからでも採光が可能になります。
5. 部屋と部屋の間にいろいろなサイズやプロポーションの屋外展示スペースをつくることができる。
6. 屋内と屋外の展示が有機的に混ざり合います。

それぞれのアート作品の固有の環境をつくり出すことができます。おのおのの建物の展示室の空間の形が一つのアート作品のようにも、展示室一つ一つがアート作品のための家のような存在にもなります。一室に一つのアート作品の空間計画で作られる作家世界を最大限に引き出されます。展示室を合棟にすることで、展示室の個性を分散化することができます。

建築をアートが作る

街のようなヴォリュームの大きさやプロポーションは、中に展示されるアート作品から決まります。外との関係も各々の作品の性質によって決まります。アート作品は広場に対して開口をとりながら、北側の静かな広場を必要とするアートは敷地の北側に配置することで各々の作品の合った形に決まる建築です。スケールの小さいアート作品は広場に面して開口をもち、ビデオアートなど閉じた空間を必要とする空間を必要とする空間を必要とする空間を配置し、展示室の開口を大きくとり、展示室の開口りを官庁街通りに面して配置し、展示室の開口を大きくとります。スケールの大きい作品は敷地のインパクトを大きくします。その独立したスケールでありながら、一つのマスタースケールの側には大きい部屋を、小さいマスタースケールの側には小さい部屋を、独立した部屋が寄り合いながら、大きなマスタースケールの側には一つのマスタースケールに対して小さいヴォリュームのアートの家としてならんでいきます。住宅地の環境にあわせて、住宅地の環境に合わせていきます。

アートの街の散歩道　動線のフレキシビリティ

渡り廊下は道のように合流、分岐し、敷地に沿ってカーブします。アートセンターの利用者は展示室から出て、屋外展示作品を楽しむ間に、屋外展示作品を見ることができました。アートセンターから出てアート作品から見ることで街の活性化を図ります。ビニールを曲線にしていくことで街の活性化を図ります。アートセンターの対岸にあるL-3、L-4広場にむかって開くことによって、アートセンター以外の屋外展示広場へと通りのいろいろな方向を向き、通りのようにアート広場がもっとつながれる展示室がいろいろな方向を向き、通りのようにアート広場が構成されながらも、周辺の街へと連続していくことを私たちは目指しています。

いろいろな方向に正面を持つ

展示室のヴォリュームを交差点に向けて配置したり、通り過ぎる車の中からもアート作品を見ることができることで、官庁街通りの対岸にあるL-3、L-4広場にむかって開いて、アート広場の活性化をもって、通りのいろいろな方向にむかって開き、通りのようにアート作品が展示されるアート作品によって形、開口のサイズ、開口の仕方などがいろいろとアートの様な建築が構成されながらも、周辺の街との連続性が生まれ、アートセンターの個々の展示室は展示される作品の種類に対して形、開口のサイズ、開口の仕方などがいろいろとアート作品の配置や集合の仕方によってアートの様な建築が構成されながらも、周辺の街との連続を意識しています。

051216 1階平面図

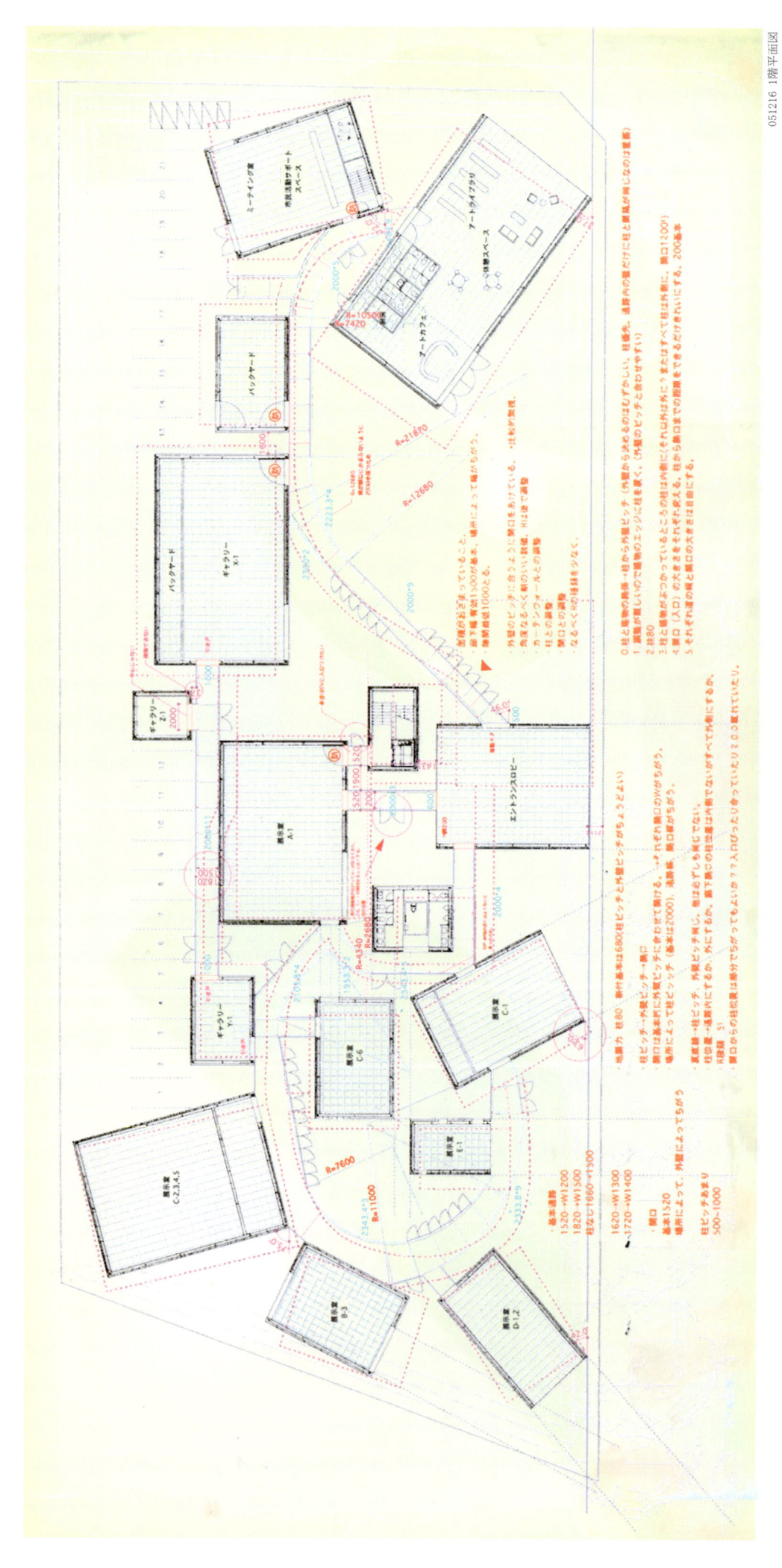

平面計画

青森県十和田市に建つ、市立の現代美術館である。十和田市の中心部に「官庁街通り」と呼ばれる大きな通りがあって、敷地はこの大通りに面している。「官庁街通り全体を美術館と見立てる」という全体構想の一環としてこの建物は、建物内の活動が通りやに街に連続していくような、開放的な建物であある必要があった。私たちは、各展示室が独立配置される分棟形式を提案した。各展示室がパビリオンのように敷地の中に点在し、屋内展示室と屋外アート空間が交互に混ざり合う空間構成である。全体としてアート作品の集落のような全体像で、人々は集落を歩くような感じで各展示室を訪ねていく。屋内と屋外が混ざり合うこと、建物全体に開放性と透明性をもたらず、外にいても、外にいてにいながらにして、屋外空間や通り、街を感じることができる。建築と都市とアートは、基本的には別々のジャンルのではあるものの、ここではそれらが無関係ではなくて、すべて連続するような公共空間の実現を目指した。

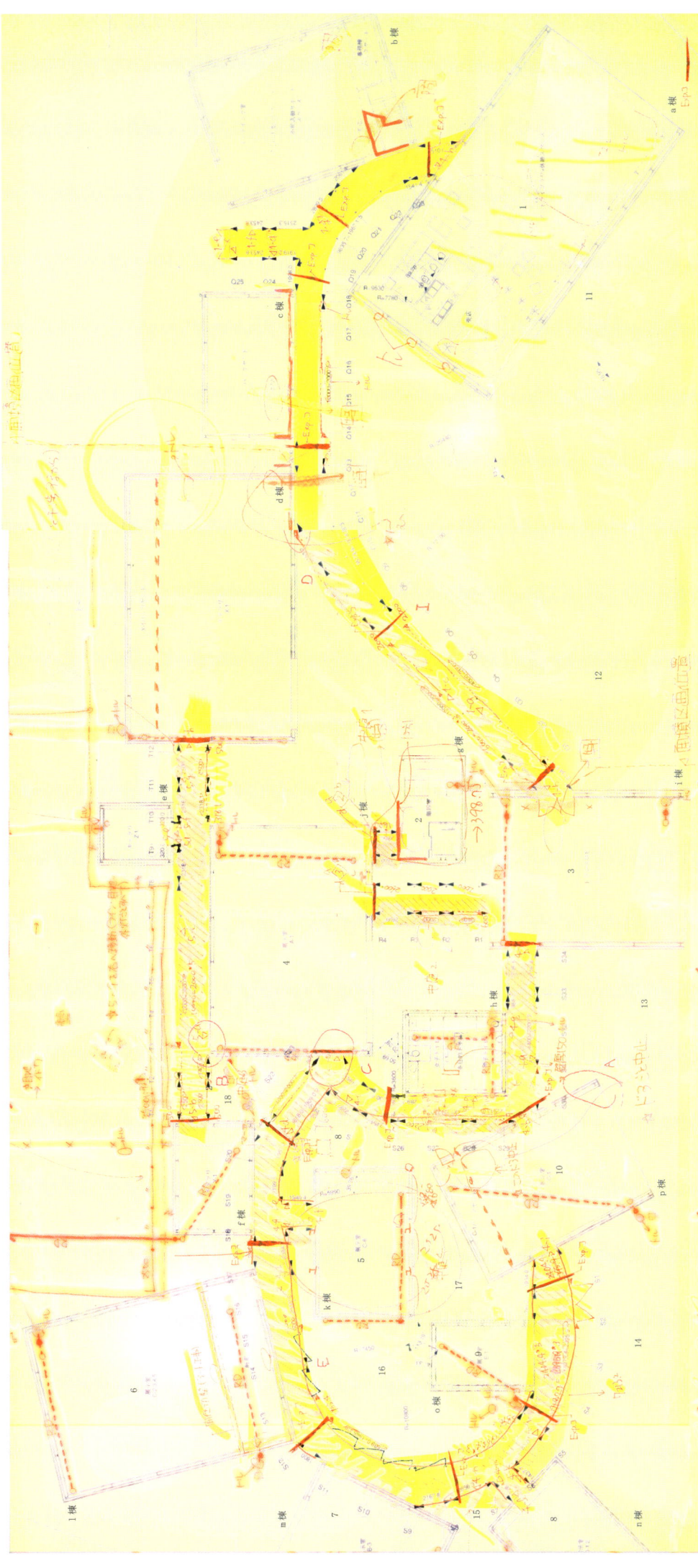

051227　1階平面図

ガラス廊下とエキスパンションジョイント

各展示室は独立分棟配置であり、開放的なガラス廊下でつながれ、人々はこのガラス廊下伝いに移動することができる。この廊下は複数用意されているので、さまざまな歩き方があり得、決まった順路というものがなくなる。むしろ順路は人々が歩きながら自分でつくり上げていく。

ガラス廊下と展示室は鉄骨造でつくられていて、それぞれ違った動き方をするため、各所にエキスパンションジョイントを設けている。エキスパンションジョイントは電車の連結部のような役目を果たす。ジョイントは全部で21カ所、2種類のタイプがある。展示室と廊下の接続部で切れる場合と、廊下を隣接する展示室と一体化させ、廊下の中間で分割する場合である。後者は水平力を展示室に負担させる。

アーティスト

1 Michael Lin
2 Federico Herrero
3 Jim Lambie
4 Ron Mueck
5 Changkyum Kim
6 Hans Op de Beeck
7 Tomas Saraceno
8 Ana Laura Alaez
9 Takashi Kuribayashi
10 Do Ho Suh
11 Paul Morrison
12 Jeonghwa Choi
13 Kyota Takahashi
14 Noboru Tsubaki
15 Mitsuhiro Yamagiwa
16 Yoko Ono
17 Shin Morikita
18 Shuji Yamamoto

各棟階高

a棟 9,800mm
b棟 1F 3,900mm 2F 3,800mm
c棟 4,300mm
d棟 6,200mm
e棟 3,800mm
f棟 5,300mm
g棟 各階3,200mm
h棟 1F 3,400mm 2F 3,700mm
i棟 4,300mm
j棟 1F 6,800mm 2F 5,900mm
k棟 1F 6,300mm 2F 5,500mm
l棟 5,200mm
m棟 7,700mm
n棟 4,300mm
o棟 4,800mm
p棟 8,800mm

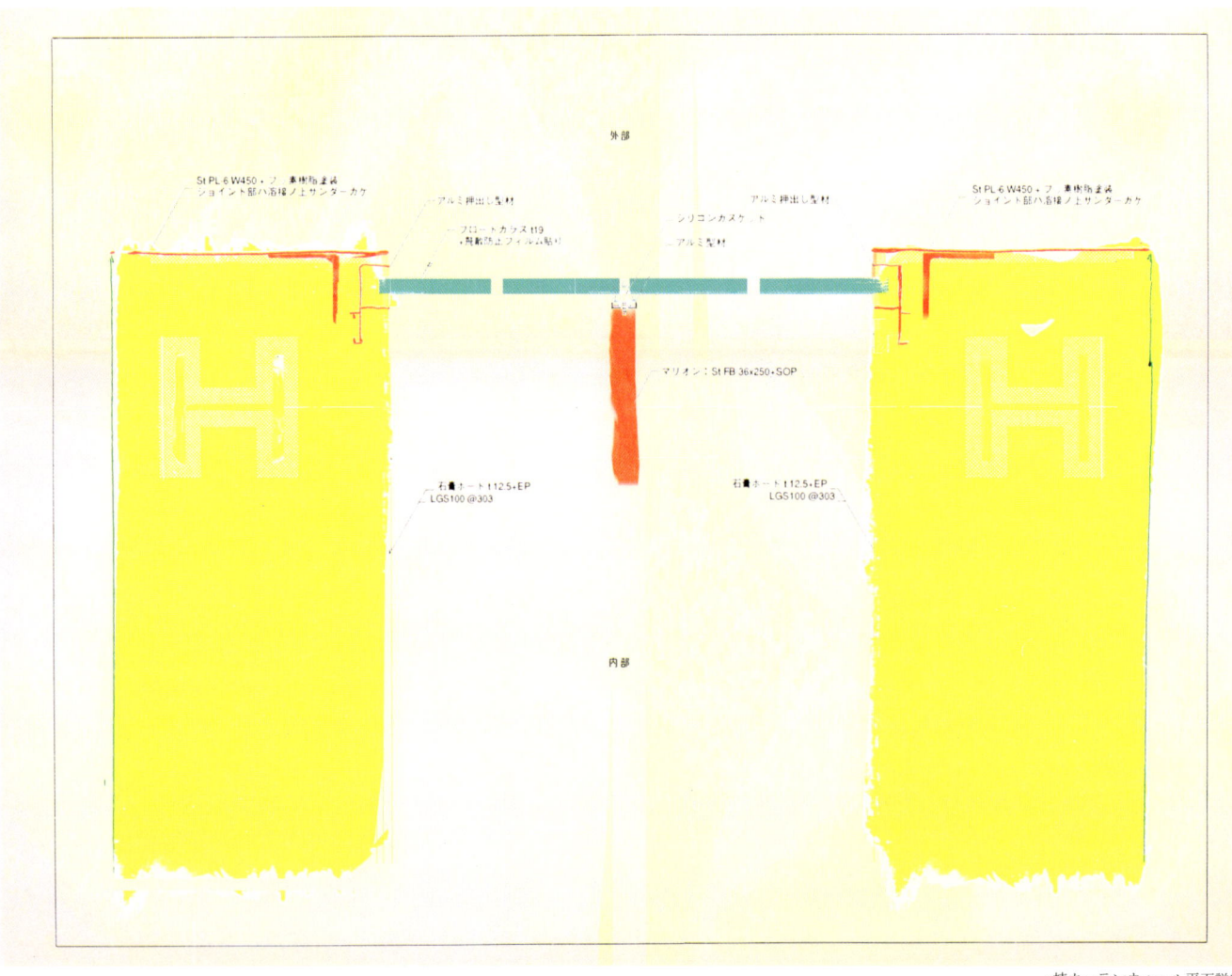

a棟カーテンウォール平面詳細図

a棟カーテンウォール断面詳細図

a棟平面図

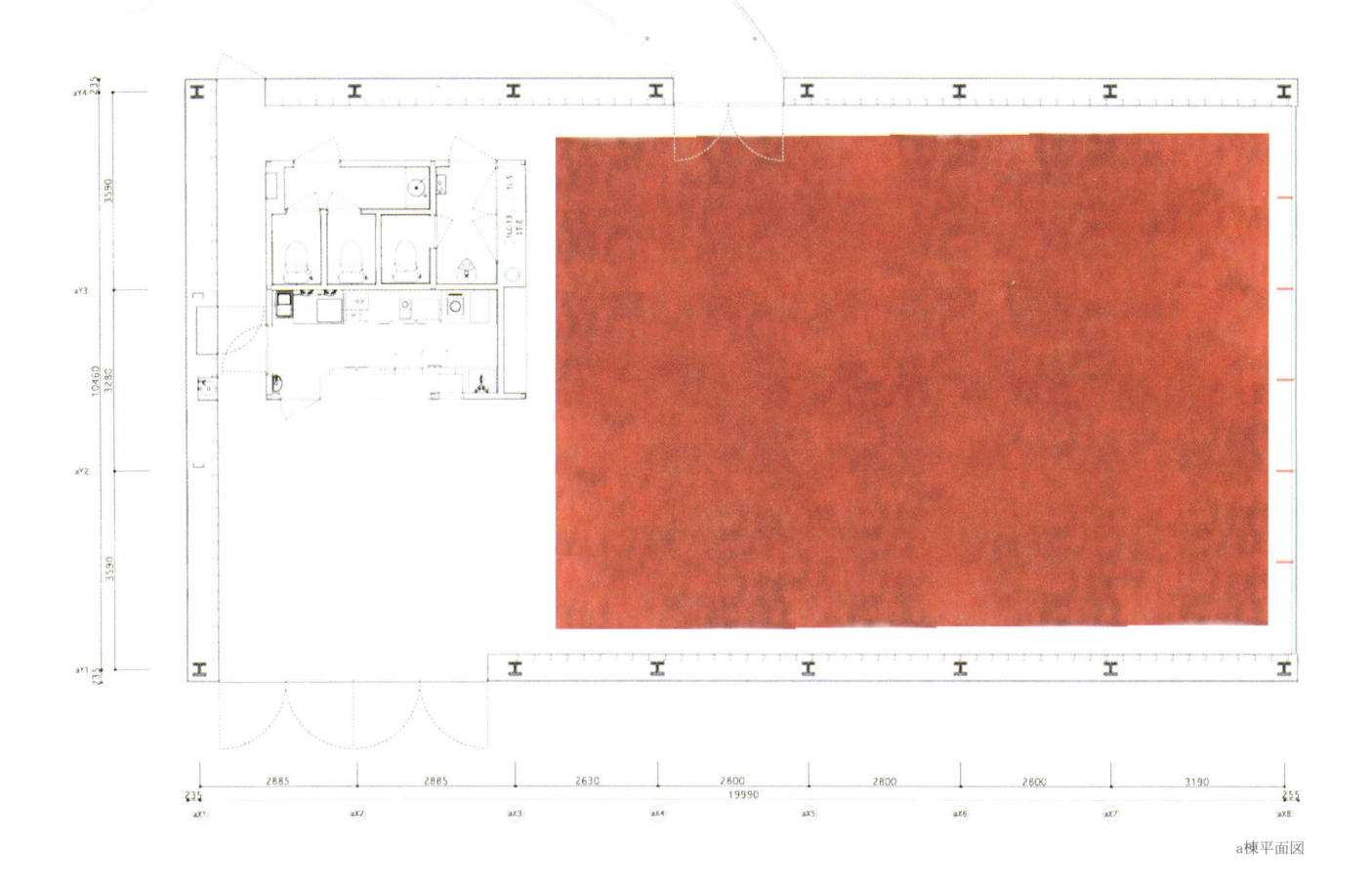

a棟の大開口

a棟は官庁街通りの交差点に位置する、誰でも自由に入れるカフェスペースである。壁一面に大きな開口が開いていて、室内の床に描かれた絵画作品を外からのぞき込むことができる。ここでは、展示空間がまるで街の一部であるかのような開放感と透明感が重要視された。

正面から見える壁と屋根の小口には幕板を張って、門型として見せている。幕板は6mm厚の鉄板で、現場で溶接し、一体化させている。ガラスファサードは19mm厚の普通単板ガラスと36×300mmのマリオンと横つなぎ材を使って構成した。

展示室がまるで街中に放り出されるようなかたちで、官庁街通りに接近して配されている。敷地境界線があたかも消え去ってしまったかのような、建築と都市の一体感を目指している。

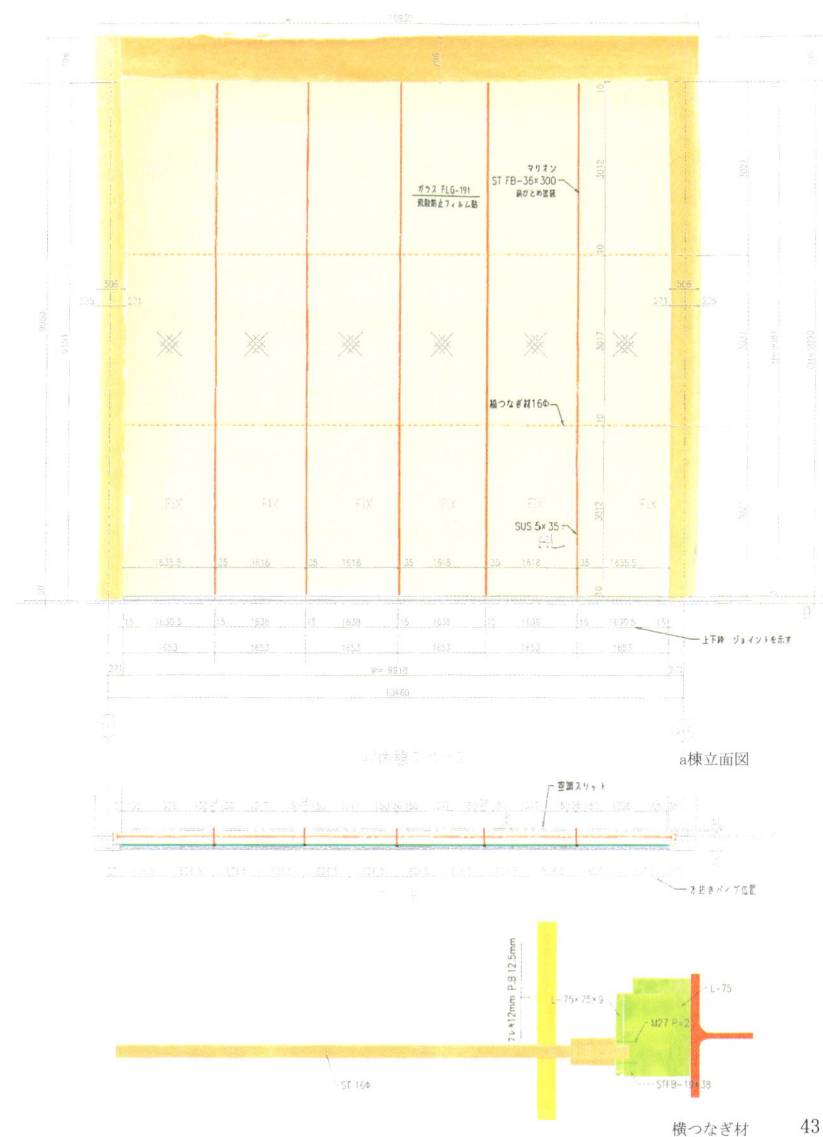

a棟立面図

横つなぎ材

天井空調吹出口詳細図

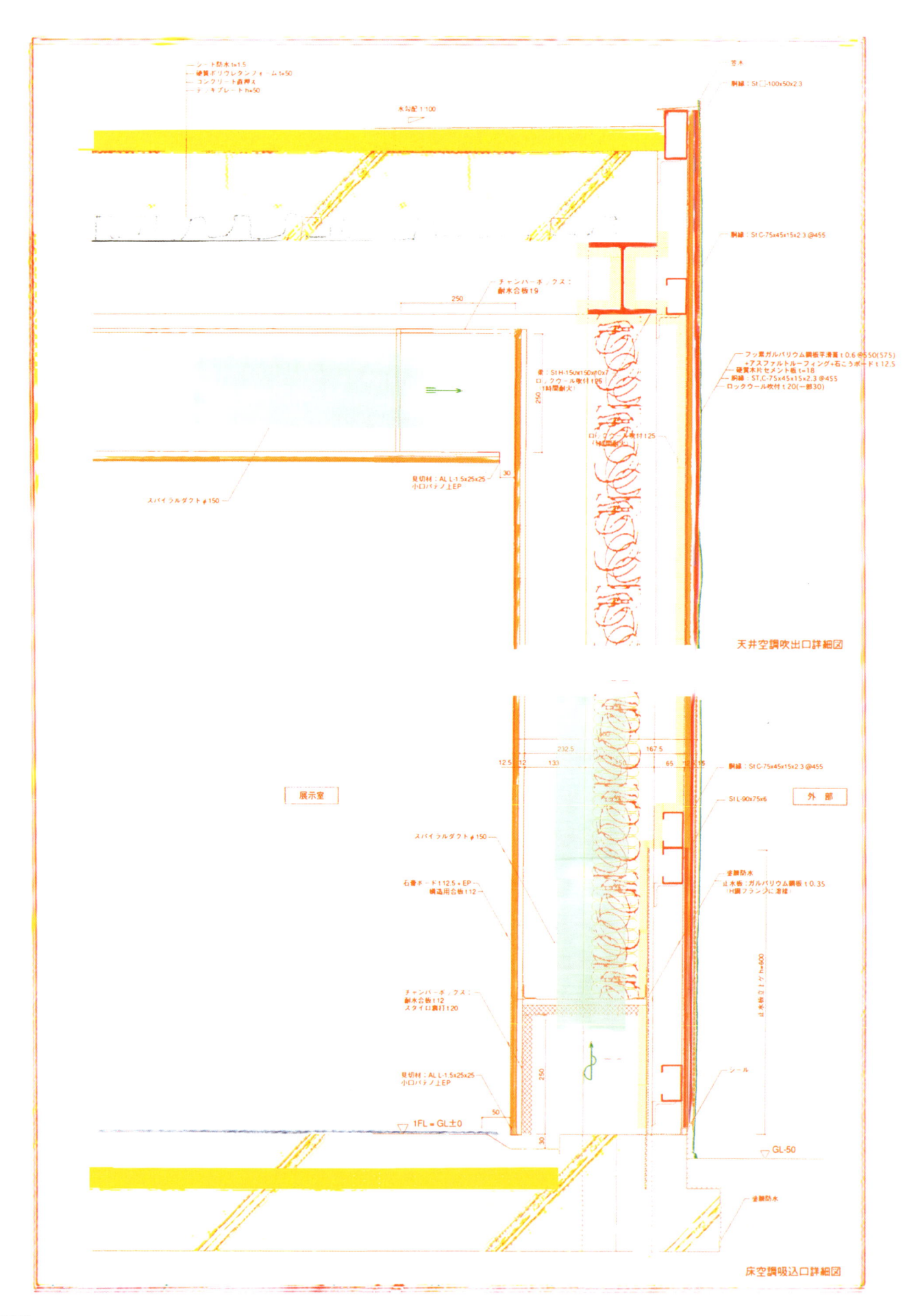

床空調吸込口詳細図

空調計画

各展示室は、天井高が高いこともあって、居住域とガラス開口まわりを重視した空調計画とした。空調はガスヒートポンプエアコンによる個別空調方式を採用している。また、施設内の数カ所にこれらの室外機を分散して、機械置場のボリュームを細分化し、美術館全体に裏っぽい空間が生まれないように気をつけた。

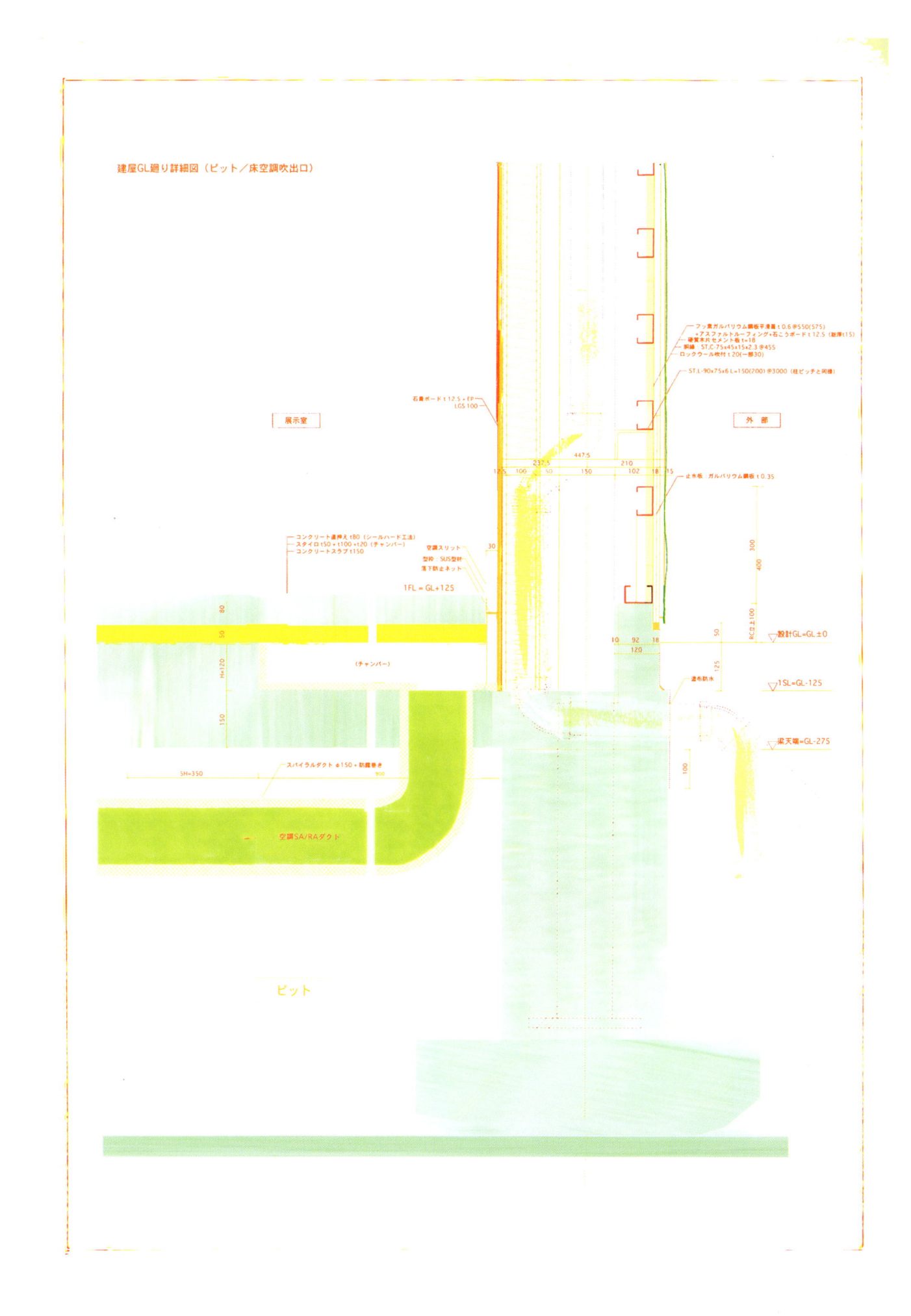

建屋GL廻り詳細図（ピット／床空調吹出口）

展示室　　　　　　　　　　　　　　　外　部

石膏ボード t12.5 + EP
LGS 100

フッ素ガルバリウム鋼板平滑葺 t0.6 @550(575)
+アスファルトルーフィング+石こうボード t12.5（総厚t15）
硬質木片セメント板 t=18
胴縁：ST.C-75x45x15x2.3 @455
ロックウール吹付 t20(一部30)

ST.L-90x75x6 L=150(200!) @3000（柱ピッチと同様）

止水板：ガルバリウム鋼板 t0.35

コンクリート直押え t80（シールハード工法）
スタイロ t50 + t100 + t20（チャンバー）
コンクリートスラブ t150

空調スリット
型枠：SUS型材
落下防止ネット

1FL=GL+125

設計GL=GL±0

（チャンバー）

塗布防水

▽1SL=GL-125

▽梁天端=GL-275

スパイラルダクト φ150 + 防露巻き

空調SA/RAダクト

ピット

外壁面にベントキャップが出ないように地中にダクトを通し、換気口を目立たない場所にまとめた。機器類はメンテナンスをしやすい天井裏に置き、室内の吹き出しと吸い込みは、天井スリットとした。官庁街通り沿いの、壁一面がガラス開口である4棟については、屋根厚が重々しく見えないようにすべて床下におさめた。

外壁パネルと笠木

16棟の集まりをきれいに見せるために、厚さ0.6mmのフッ素ガルバリウム鋼板の外装材を採用した。これはもともと屋根材として開発されたもので、長手方向のサイズが自由にとれるメリットがある。パネル幅はなるべく幅広(58cm)でおおらかさが感じられるものを選んだ。オープンジョイント工法で、シールなしの目地幅は3mm。近づいても線のように見える。ボリューム高低差がきれいに現れるため割付けは縦方向とし、取り合いにおいてはどんな場面でも外壁勝ちを心掛けた。

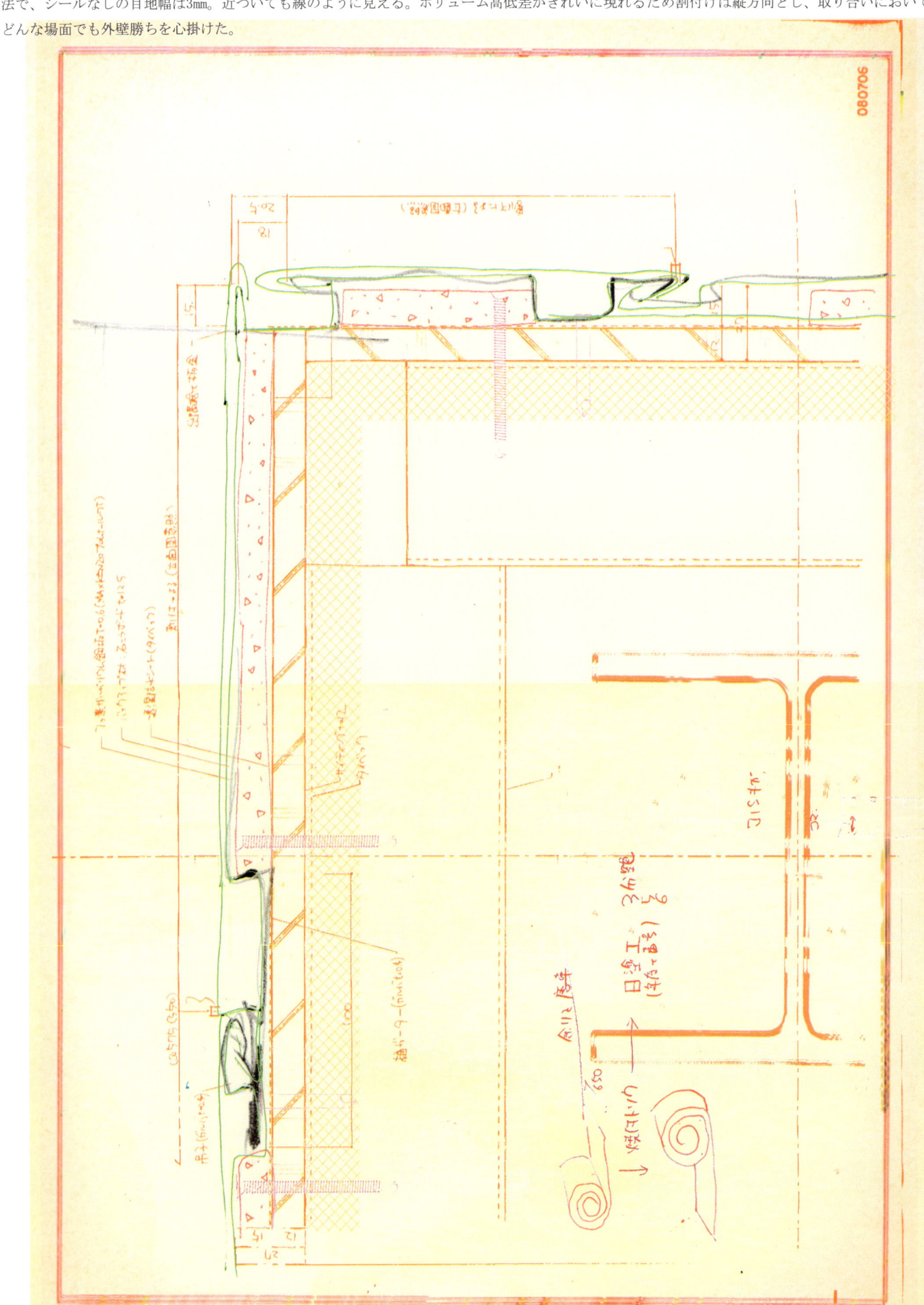

パラペットの納まりは全体のスカイラインに影響する。ここでは上から笠木を被せない方法を検討した。外壁パネルの上端を内側に曲げ、笠木の上に引っ掛けるように被せた。このためパネルは板金技術で折り曲げることのできる厚みとなった。この納まりはさらに整理され、最終的には笠木と外壁パネルが一体化した納まりになった。笠木とシート防水端部の隙間に水が入り込んでも、その位置が外壁の止水ラインを越えているため、室内に水が入り込まないようになっている。

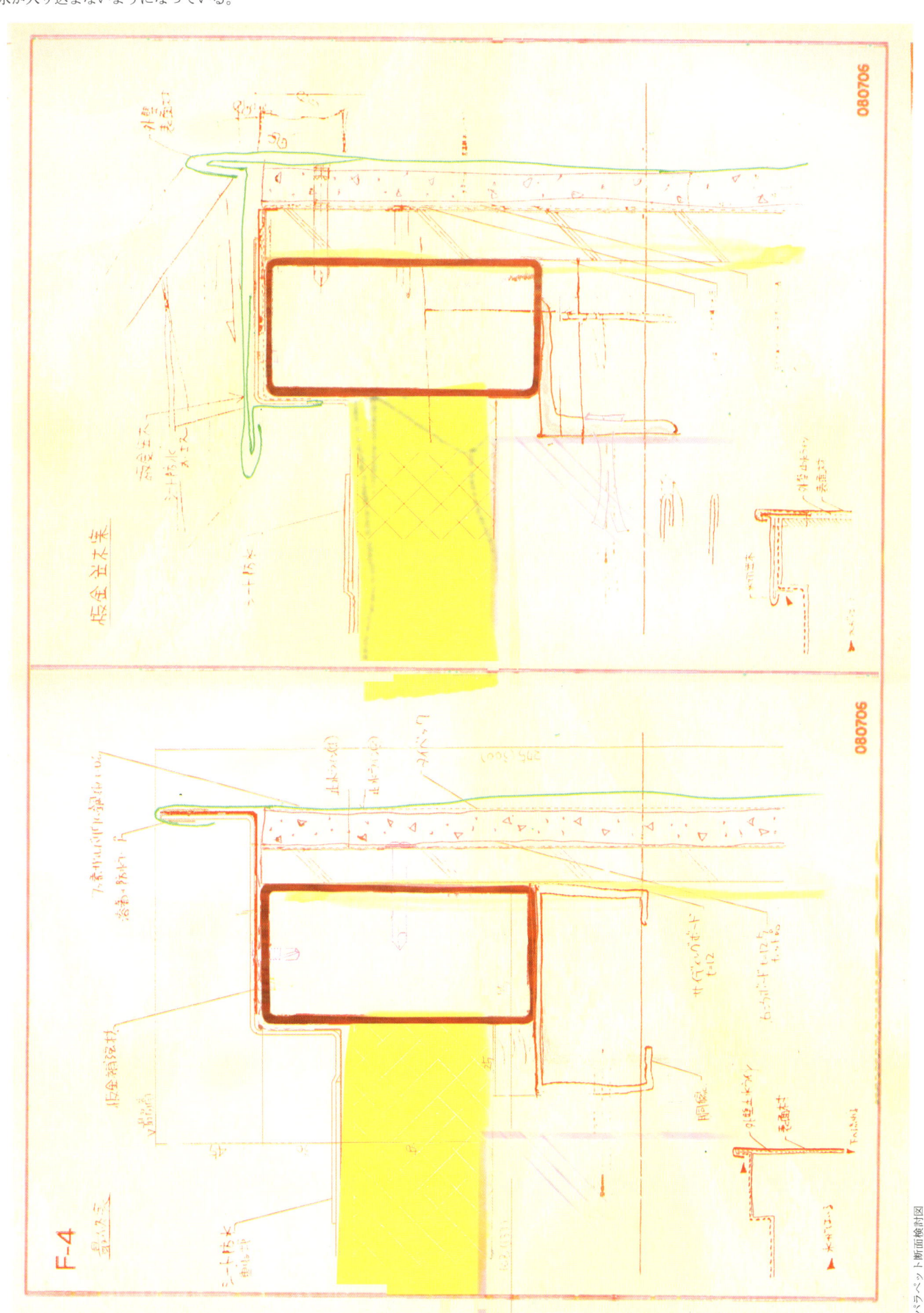

建屋—廊下取合部 平面詳細図3

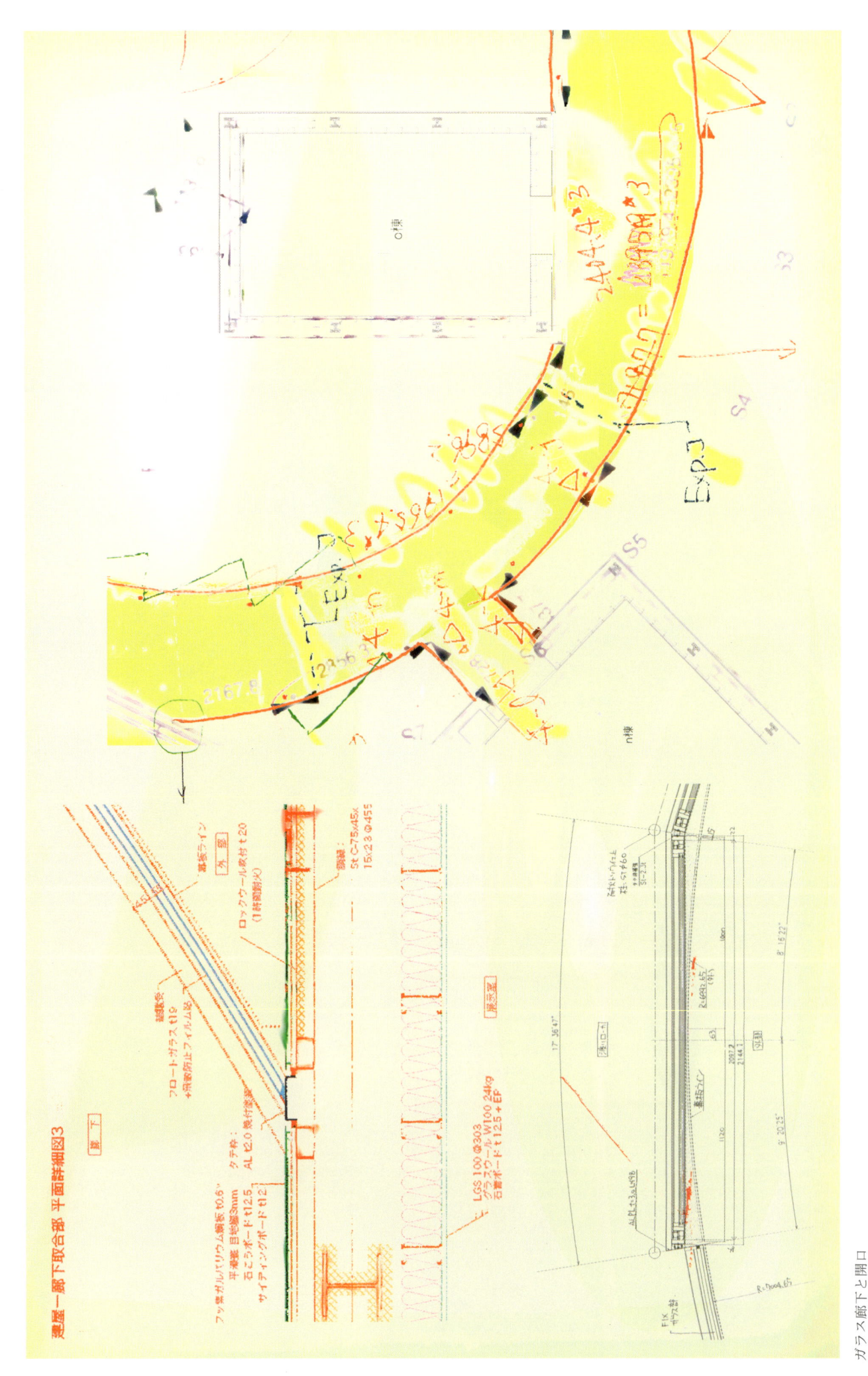

ガラス廊下と開口

ガラス廊下のカーテンウォールは、上下2辺支持としている。ガラス厚は19mmで、カーブ部分は形材もガラスも曲面加工している。外部や庭へ自由に出入りできるように、また、気候のよい時期に開け放すことができるように、幅・高さとも2m以上ある大きなアルミサッシュの回転窓と引戸を、柱のピッチに合わせて並べていった。

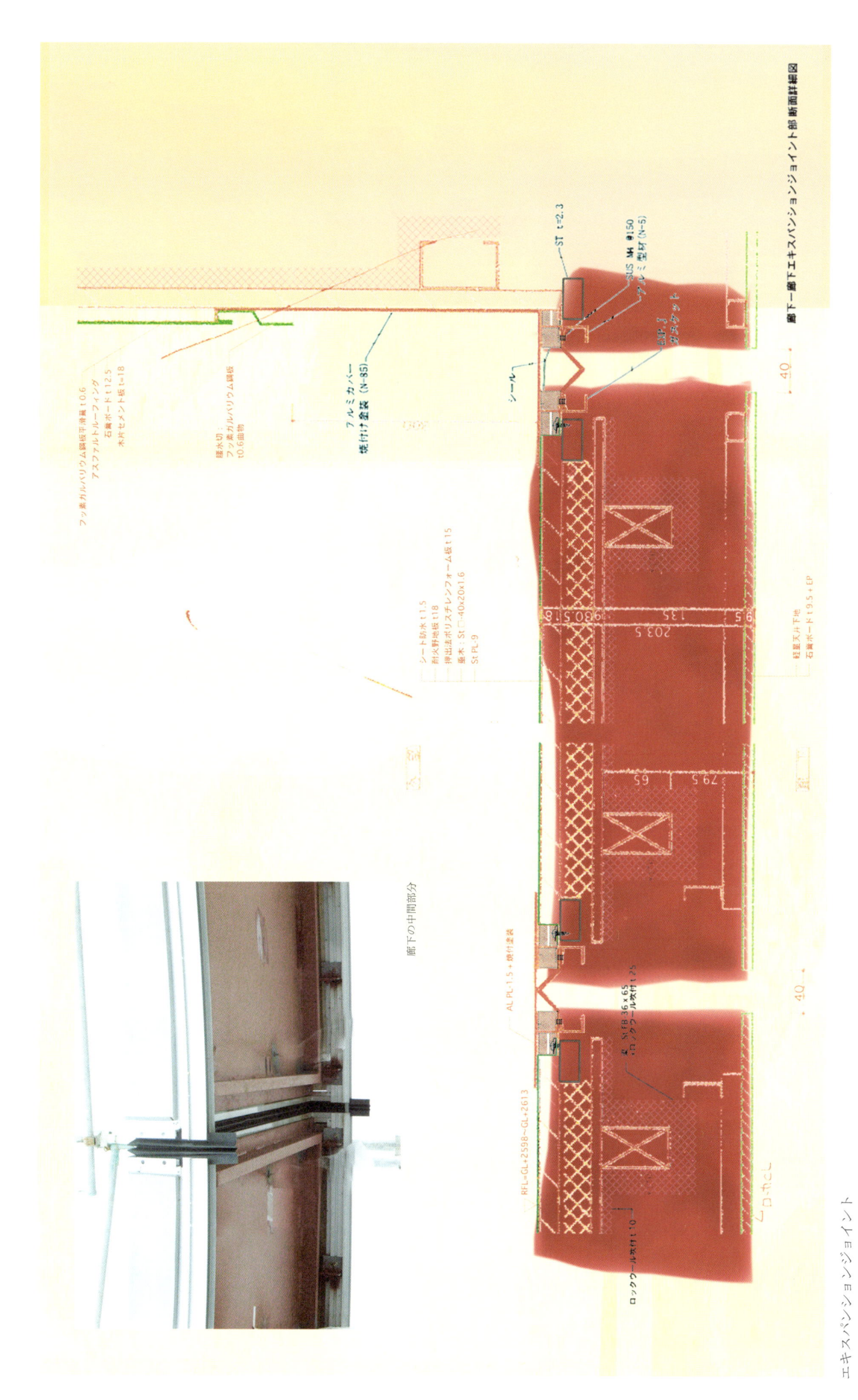

廊下一階下エキスパンションジョイント部断面詳細図

エキスパンションジョイント

蛇腹状のシリコンゴムを用いた特注アルミ金物を採用した。1階で想定変位40mmに対応できる。この金物が接続部において門型状にまわり、廊下のアルミサッシュ枠と一体になるようにおさめている。廊下の中間でのシールのシールジョイントのやわらかさだけで変位を吸収できるようにしている。20mm幅のシールジョイントのやわらかさだけで変位を吸収できるようにしている。

森山邸
Moriyama House, 2002-2005

ワンルームマンション程度の賃貸住宅、それとオーナーである森山さんの専用住宅が、ひとつの敷地の中に建つ計画である。敷地は東京の南にある、昔からの下町の雰囲気を残す古い住宅地で、2、3階建ての中規模のアパートや住宅がお互いに小さな間隔を開けて、秩序立って並んでいる(図4、5)。

敷地は周辺に比べて大きく、ここに要求されたオーナー住宅と賃貸集合住宅をつくると、ボリュームがまわりの建物に比べてたいへん大きくなって、威圧感があると感じた。

敷地の周辺をぐるっと歩いてみると、舗装されていない土や砂利の路地が多く、大きな木が植えられ、小さな鉢植えなどがたくさん置いてある、庭のような路地がたくさんあった(A、B、C)。この建物と路地のような隙間が細かく反復してゆくこの地域の都市パターンを継承できるのではないか、と思い、また、各住戸に小さな庭を与えることができるのではないか、と考えて、各住戸を離して各々を独立配置する案に辿り着いた。

図1 最初の依頼書

図2

図3

小さな庭や路地のような隙間と各住戸をどのように置くか、スタディを続けた。隙間を小さくして、各棟を敷地にひしめき合うようにぎゅうぎゅうに並べたり、庭を大きく取って建物同士をくっつけたり離したりしてみた(図2)。私たちが最終的に選んだのは、各住戸がそれぞれの庭を持つ案(図3)。庭を4周に持つ住戸や、お風呂やキッチンが庭を介してばらばらに建っている住戸、大きな木と小さな畑を持つ住戸、屋上庭園を持った住戸などを、敷地内にばらばらと並べていった。

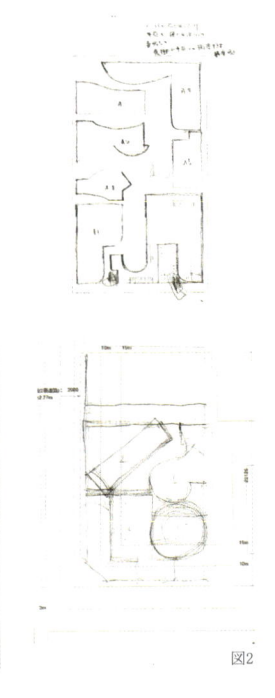

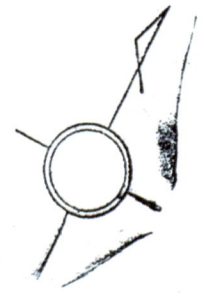

図4 森山邸の周辺地図

公園　　土　　木　　砂利

みどり　　路地

図5

F棟からの眺め

E棟の庭

G棟の屋上テラス

森山さんの柿の木

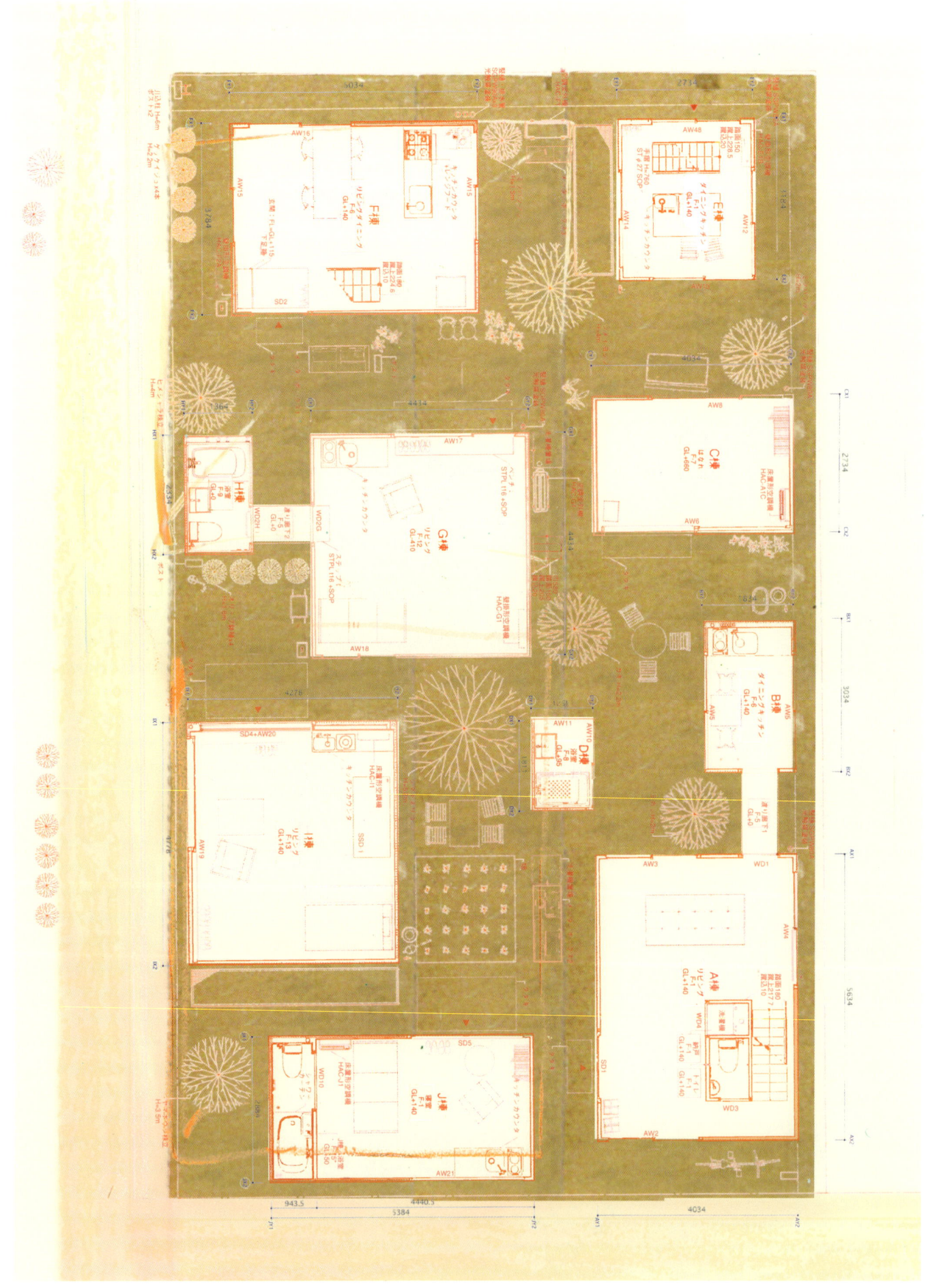

平面計画

森山さんは庭をはさんだA・B・C・D棟に住んでいる。E棟からJ棟は各々キッチンとバスルームが付いた賃貸住宅である。いずれはすべてが森山さんの家となり、毎日すきな場所でごはんを食べたり、お風呂に入ったり、映画を観たり音楽を聴いたりする。全棟が専用の庭を持っており、それぞれ木々や植物を育てることができる。生活が屋内空間だけで閉ざされるのではなく、むしろ室内と庭・路地などに連続していくような、東京らしい住空間をつくり出そうと考えている。

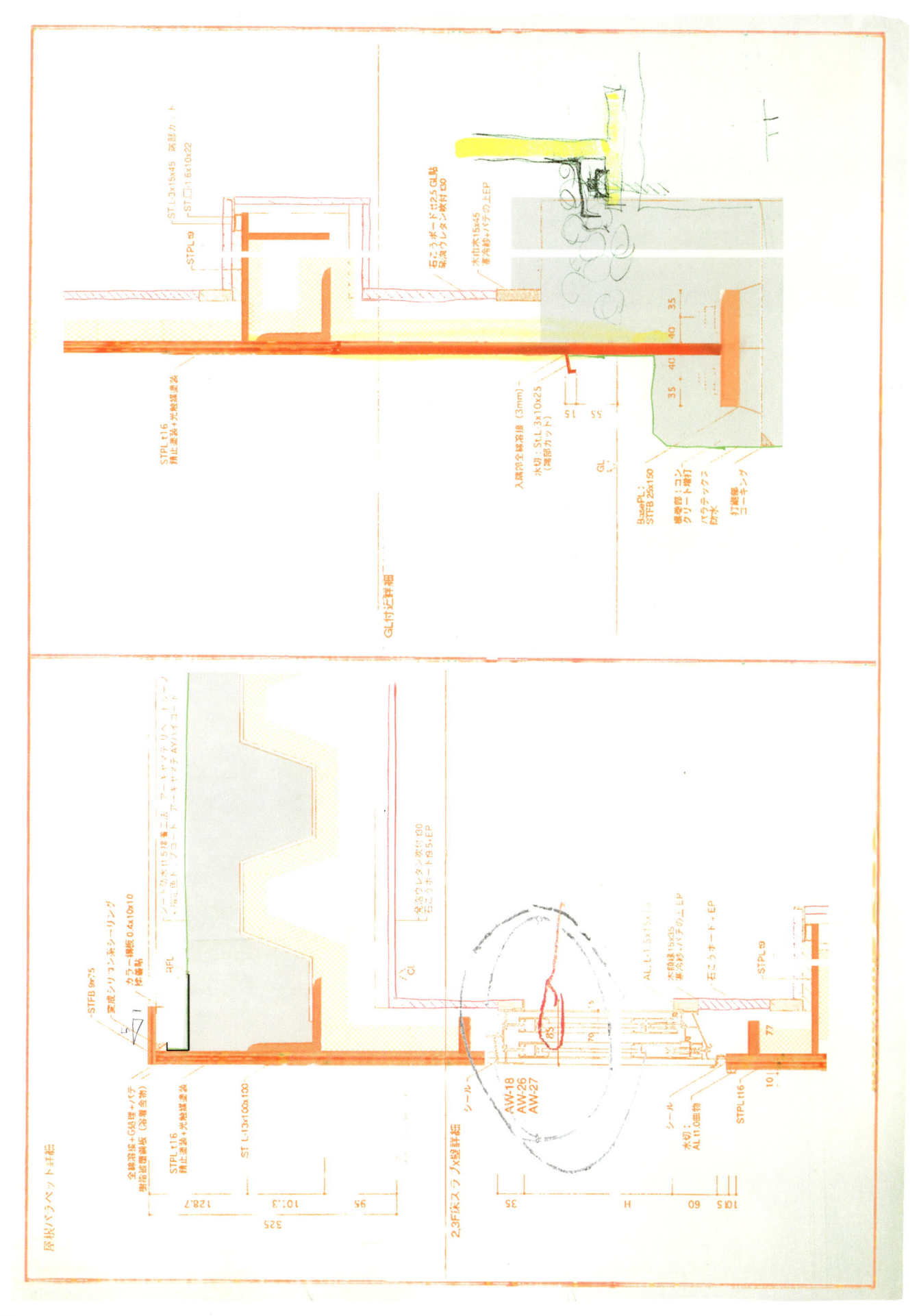

外壁とアルミサッシュ

建物の外壁は、厚さ16mmの鉄板でできており、それが構造体となっている。薄い壁に大きな開口を取ることで外観上の軽やかさが増し、室内と外部の連続性が生まれることを期待した。開口部には既製アルミサッシュをはめ込み、壁厚をアルミサッシュの枠に合わせて85mmで統一した。これによって壁面における凹凸がなくなり、全体として軽快ですっきりとした外壁となった。

昔の家の裏庭

森山さん（「森山邸」家主）に聞く

聞き手＝中坪多恵子／西沢立衛建築設計事務所
森山邸A棟にて

—最初の依頼書を見ると、はじめは友だちと一緒に住むつもりだったんですか。

森山　西沢さんに設計を頼む前に、僕が集合住宅をつくると友だちに話したら、幼なじみで、すごく図々しい人がいまして、その人が住まわせてほしいと言ったんです。友だちの家族4人と同じ敷地に住む予定だった。

—そもそも、家を建てようと思ったきっかけは？

森山　今の場所で酒屋をやっていたんですが、安売りの大手が出てきたりして、お客さんが来なくなって、営業ができなくなってしまったんです。僕は酒屋をやめてここを売って、本当は熱海かどこかあたたかいところで中古物件を買って住む予定でした。勝手に決めて、それをずっと楽しみにしていた。

—なぜここで建て直そうと思ったんですか。

森山　そのときにはまだ母親が生きていたんですが、絶対にここの場所を動きたくないと言ったんです。85歳くらいだったので、無理にどこかに連れていくわけにはいかないですよね。

—最初から建築家に頼むつもりだったんですか。

森山　近所を犬とよく散歩するんですが、たまたま1軒だけ建築家がつくったような住宅があったんです。その住宅を見て、どうせつくるなら建築家がいいなと。

—きっかけはその家ということなんですか。もともと建築家に興味があったわけじゃないんですね。

森山　でも、伊東豊雄さんの「シルバーハット」はすごくすきでした。

—それはかなり専門的ですよ（笑）。

森山　昔、ちょっと離れたところに清家清さんがつくった「私の家」があって、わざわざ見に行ったりもしていたんです。だから多少関心はあった。

—だけど建築家に頼もうとまでは思わなかった？

森山　ハードルが高くて（笑）。

—西沢さんのハードルが高くなかったということなのかな（笑）。

森山　SANAAとしてもう有名でしたから、いちばんハードルの高いところにいっちゃいましたよね。

—西沢さんのどんな作品ができていたときですか。

森山　SANAAではけっこう発表していましたけど、個人では「鎌倉の住宅」までしかできていなかった。2002年くらいですね。僕は、西沢さんじゃなければ建築家に頼むのをやめようと思っていたんです。

—それはなぜ？

森山　「ウィークエンドハウス」が決定的。西沢さんが青木淳さんと本で対談をしていて、ウィークエンドハウスについてしゃべっていたんです。どうしてもその写真を見たくて、『住宅特集』のバックナンバーを探しました。ウィークエンドハウスが表紙になっているのを見て、すぐに西沢さんにお願いすることに決めたんです。「ああ、もうこれしかない」と思いました。建築家の人を探して1年くらいたってからの話です。

—じゃあ、ほかにもいろんな建築家を探していたんですね。

森山　もっと若くて有名じゃない人を探していました。よりによって西沢さんになっちゃった（笑）。

——前に聞いたことがあるんですけど、「ここにウィークエンドハウスを建ててほしい」と西沢さんに言ったとか。
森山　はい。そんなのは絶対に無理だとわかっていたんですけど……。同じものを建てるわけがないですよね。でも、それぐらい本当にすきだった。西沢さんに頼もうと決めた後も、断られたらどうしようかと半年くらい悩んでいました。
——どうやって依頼をしたんですか。
森山　アポなしで事務所に行ったんです。僕と友だちが一緒に行く予定だったんですけど、急にその人の都合が悪くなって、約束の前日に突然、その人が勝手に西沢さんの事務所に行っちゃった。変わった人なんです。でも西沢さんはいらっしゃらなくて、とにかく要望書だけ置いてきたらしいです。その日のうちに電話をいただいて、2日後ぐらいにはうちを見に来ていただきました。最初、西沢さんはすごく厳しかったです。
——厳しかった？
森山　「僕のつくるものを気に入らなかったら、早い段階で断ってほしい」と言われた。だからなんとなく、自分のつくりたいものしかつくらないというスタンスなんだなと思いました。最初に会ったときにそう言われたので、厳しいっていうか、すごいなと（笑）。
——それであきらめようとは思わなかったですか。
森山　いえ、それは全然。

＊＊＊

——最初のプレゼンテーションのときには、どういう提案があったんですか。
森山　9月にお会いして、2カ月後に4つの案をいただきました。4つのうちの3つが分棟案。
——3つの分棟案はどういう違いなんですか。
森山　ひとつは庭がなくて、何棟かがぎゅうぎゅうに詰まっている感じです。もうひとつは、僕の友だちが入る細長い棟が真ん中にあって、サンドイッチの具のハムみたいに、僕の棟と集合住宅の棟にはさまれているもの。3つ目が、集合住宅の棟が北側の道路に面してドンとあって、僕の棟とハナレが敷地の南側にあるという、3棟構成です。
——分棟じゃない案というのは？
森山　敷地いっぱいに建物を1棟配置する案で、部屋が二十いくつか並んでいるものです。
——どれもウィークエンドハウスとはずいぶん違いますよね。
森山　最初は自分がどこにいるのかわからないくらいショックでしたね。どこにもウィークエンドハウスの面影がないので（笑）。建築家に頼むというのはこういうことなんだと、そのときはじめて実感しました。
——そうですよね（笑）。そこから森山さんがひとつを選んだんですか。
森山　2回目ぐらいのプレゼンテーションで庭付きの分棟案が出てきて、それか敷地いっぱいの1棟のどちらかっていうことになったんです。2つで迷っていましたが、すぐ分棟に決めました。
——西沢さんが分棟を押していた？
森山　いえ。こっちがいいということは一切言われたことはないです。まあ、僕がそれを選ぶように、それとなく誘導されていたかもしれないですけど（笑）。
——でもそこから今のかたちになるまでに、だいぶ変わりましたね。
森山　最初の要望だと、本当はもう1棟建つ予定だったんです。でもそうすると庭がなくなってしまうと西沢さんのほうから言われて、「じゃあ、ひとつ削って庭を増やしましょう」という流れで。
——今のような分棟にすると決まったときに、森山さんがこういう大きさにしてほしいといった要求をしたんですか。
森山　西沢さんに全部お任せです。サイズとか屋根の高さとか、僕は一切何も言ってないです。
——そんなにも要望のないクライアントは今まで聞いたことがないですよ。
森山　なんにもわからないので。お願いといったら2つくらい。最初に模型を見せてもらったときには、僕のA棟が浮いていたんですけど、次に見せてもらった模型では全部の棟が地面に接していたんです。建物が浮いているのが衝撃だったので、「どこか浮かせてほしい」とお願いしました。あと、最初僕の棟が敷地の南側にあったので、北の道路側にもってきてもらいました。ずっと道路に面して酒屋があって、同じ風景を見ていたので。1回だけ、道路から連続させて敷地の中にアスファルトを敷いて、街灯を付けたら面白いんじゃないかって提案したんですけど、流されました（笑）。
——友人の方のリクエストはなかったんですか。
森山　空中歩廊をかけるとか、変なのがいっぱいありました（笑）。あとは、地下を掘って敷地の目の前の自分の実家とつなげるとか、法規的に無理なことばっかり言っていた。
——でも、分棟になってこのかたちに決まるまでに、A棟からF棟までを地下でつなげることも検討したとか。
森山　予算が合わなかったんです。「1億円オーバーしました」って西沢さんから直接電話がかかってきました。それが2度目のショックだった（笑）。地下でつながっていたら下に何を置こうとか、妄想の風船がパンパンに膨らんでいたので。
——地下でつながっていたら、また今と全然違っていた気がしますね。
森山　でも今考えると、そこまで地下をつくらなくてよかったと思います。全然地下を使わないですね。やっぱり上にいたほうが楽しい。カーテンも開けていないと逆に気になります。
——でも、前の家のときはカーテンをほとんど開けたことがなかったとか。
森山　昼間も電気をつけて生活していたんです。カーテンを閉めて音楽をつけっ放しにして、オタクみたいな生活をしていた。まったく外部に興味がなかったんですよね。
——それがここまで変わる（笑）。分棟の案で、たとえば庭を通ってお風

庭に飛び出したバスルーム（D棟）

呂に行く案を見せられたときに、抵抗はなかったんですか。
森山　全然抵抗がありませんでした。最後の案のときにお風呂を外に出すって言われたんですけど、逆にうれしかったくらいで（笑）。使いづらさとかも一切考えたことがなかった。気持ちは「楽しい」のほうにしかいかなかったですね。

＊＊＊

——実際に住んでみてどうですか。
森山　今は朝起きて1回外に出て、お風呂で歯を磨いたり顔を洗ったりするんですけど、ピクニックみたいで楽しいですね。それが今の日常になっている。最近は庭でひげを剃っているんです。
——ほかの住人の方と顔を合わせるっていうことですよね。
森山　それが、開口の開け方が絶妙で顔が合わないようになっているんです。でも人がいることはわかります。
——森山さんはどこで寝ているんですか。
森山　最初は地下で寝ていたんですが、今はハナレ（C棟）で。
——季節によっても生活が変わりそうですね。
森山　あたたかいときはほとんど3階にいます。冬場だと太陽が当たるあたたかいところにいる感じです。エコ住宅で、全然電気を使わない。外と風景が切れてしまうので、夜も電気をつけてないんです。夜3階にいると、電気をつけなくても街灯の明かりで本当に明るい。ここまでの高さの家がまわりにあまりないじゃないですか。空が抜けていて白夜みたいな感じです。
——電気をつけなくてもよし、カーテンを閉めなくてもよし。この都心の中で、すごいですね。
森山　ここのすごさは、季節を通して住んでみないとわからないかもしれないですね。
——最初のころとは、使い方もだんだん変わってきましたか。
森山　音楽を聴いたり映画を観るために地下をつくってもらったんですけど、それすらあまり地下でしなくなりました。音楽は小さい音でもいいから、上にいたほうが楽しい。プロジェクターで映写するときも、ちょっとぼやっとした映像でもいいから、上で映して観ています。
——趣味の楽しみ方も変わりましたね。
森山　植木にも以前は興味がなかったんですよ。これができる前は、家の裏が全部庭だったんですけど、ジャングルみたいに荒れ果てていて、水もあげたことがなかった。こういうつくり方をしてもらわなければ、いまだに植木に興味がなかったかもしれない。
——こんなに変わるものなんですね。引きこもりじゃないですけど、カーテンをほとんど開けたことがない人が、これをなんの抵抗感もなく受け入れられるとは。
森山　昔はお風呂の窓をきっちり閉めて入っていましたけど、今はカーテンが半分開いていても入れます。お風呂に行くときには庭をパンツで歩いていますから（笑）。
——建築とともに自分が変わっていく。
森山　まったく気にならなくなりましたね（笑）。
——それがだんだん身体になじんできて、当たり前になる。雨の日はどうするんですか。
森山　ぬれても全然構わない。ましてや、1年のうちで雨の日なんてそんなにないですから（笑）。
——西沢さんはここまでの生活をイメージしていたんでしょうか。

森山　どうでしょうか。西沢さんは、3階にもっと本を置いたりして、リビングとして使うと思っていたらしいんです。僕は3階には一切本とかを置かないで、植物を置いているんですけど、それを喜んでくださいました。あと、お風呂場に花を置いて温室みたいにしたら、すごく喜んでいました。
——自分の想定とは違う使い方をしてほしいという思いもあるんでしょうね。
森山　でもあのお風呂は、「そこまでやるのか」という感じで、いろんな人にすごく批判されたと言っていましたね。もともとあそこに何かを置くことは決まっていたんですけど、ブラックボックスになっていて、機能は決まっていなかった。ここまで解体しちゃったので、中にあったお風呂を出しちゃえと。でも、あそこに倉庫があるのとお風呂があるのとでは、全然違いますよね。
——私もお風呂でよかったと思います。
森山　あとよく言われるのは、「ここは丸見えで、人間が獣になれる空間がないからだめだ」とか。大学の先生がそう言っていたのを聞いたことがあるんですけど（笑）。でも、丸見えというわけじゃないんですよ。
——住んでみないとわからないような気がします。「使いこなせない」とか「カーテンを閉めないと住めない」という批判はよく聞きますが、そういう人も住んでみたら開けるようになるかもしれないですね。
森山　開けますね（笑）。

＊＊＊

——どの段階まで友人の方も住む予定だったんですか。
森山　でき上がって、じゃあ入ろうという直前まで。その人が住人を全部連れてくると言っていたんですけど、結局、全員なんらかの理由で直前にだめになっちゃったんです。その人の知り合いが某大リーガーで、バットをフルスイングしてもいいような空間（I棟）をつくってもらったのに、その人もキャンセルになっちゃって……。もう縁を切ろうかと思った（笑）。それで入居者を西沢さんに相談したんです。
——今は男性が3人、女性も3人ですね。
森山　森山邸にはプライバシーがないって言う人が多いですけど、ちゃんとあります。だって、会わなくても生活ができますから。会いたくなかったら、少し遠回りをしていけばいい。そういう選択肢がいっぱいあるんです。窓もたくさん開いていますけど、カーテンを閉めれば別に問題がない。夜には電気の明かりは見えるんですよね。ここ（A棟）に立つと、E棟の人が帰ってきたらわかるんですけど、頭が見えるだけなんですよ。何をやっているのかは想像するしかない。
——夜に帰ってきてからも寂しくないですね。ふつうのアパートに住んでいたら、隣がいるのかいないのかすらわからないけど。
森山　明かりですぐにわかります。別に見ているわけじゃないけど、毎日ここにいると、誰がどういう生活をしているのかがなんとなくわかるんです。全然しゃべっていなくても、今週は忙しいんだなとか、今日は機嫌がよさそうだなとか。これは冗談じゃなくて、本当にそうなんですよ（笑）。
——住んでいる方は変わらないですか。
森山　前にG棟に住んでいた人は、結婚して出ていっちゃいました（笑）。最後に100人くらいを呼んで、結婚式を森山邸でやったんですよ。みんなの棟の1階部分に食事を置いて、お風呂には水を張って氷を

I棟の内観模型

入れて、ワインと缶ジュースを入れて。
——もう全棟、半強制参加ですね（笑）。
森山　完成してもう4年たったので最近は落ち着きましたけど、いまだに人は多いですね。以前、ハナレでサッカーのワールドカップを15人くらいで観たこともあります。20人くらいのお客さんを呼んで、夜中までバーベキューをしたり。
——気軽に人を家に呼べるっていうのはわかる気がします。
森山　最近は見学者がいてもお風呂に入っちゃうんです。だって、ここに入ってきた人が悪いんですよ（笑）。通り沿い（I棟）に住んでいる外国人の住人なんて、夏は窓を全部開けっ放しで裸で寝ています。野良猫が入ってきても一緒に寝てる。近所のおばさんに怒られるかと思ったら、けっこうモデル系なので、近所のおばさんも「いいんじゃない」なんて言って（笑）。近所の人も勝手に入ってきて、勝手に植物を植えて帰っちゃうんですよ。あとは、自分の近道にして、買い物かごを提げてこの家を通っていく人もいます（笑）。
——何か森山邸のルールがありますか。
森山　特にないですね。なんとなく庭がここまでだなとか、暗黙の了解でだんだんルールが決められていく。なかにはほかの棟の壁まで自分の家だと思っている人もいるかもしれない。人によって解釈の仕方が違うから、怒っている人も多分いるでしょうけど（笑）。
ここにいると、生活をしていくうちにだんだん素が見えてくるんですよ。そうするとやっぱり親密感が生まれる。
——10棟あるうち、4棟が森山さんの家っていうことも大きいと思います。ここは集合住宅というより森山さんの家、「森山邸」ということが。

森山　これは仮の名前だったんですよ。発表されるときに森山邸じゃ恥ずかしいので、僕は勝手にここの名前を考えていたんです（笑）。
——どういう名前ですか。
森山　ボリューム（volume）の「vol.」っていうのを考えていたんです。「vol.」だと、映画や書物の1巻、2巻という意味にもなるのでいいかな、と思っていたんですけど、却下された（笑）。
——将来はどういうふうに住むつもりなんですか。
森山　ひとりで住むんです。
僕がこの提案をしてもらっていちばんうれしかったのは、集合住宅だけじゃなくて、本当に個人住宅にもなること。すきなところで昼寝をしたりだとか、考えると楽しくてしょうがないですね。
——ひとりが抜けたら、そこを森山さんが使ってもいいですし。でも、みんないっぺんに抜けたら寂しいですね。
森山　言われてみればそうですね。ここには人の気配があったほうがいい。大家族で住んだら楽しいかもしれない。うまくいけば、1日中奥さんと会わないようにもできますから（笑）。
前は別荘もほしいと思っていたんですけど、森山邸に住んだら、別荘はもういらなくなりました。今は3階が「別荘」なんです。ここにいると小旅行に来ているような感じで、飽きないですね。
——場所によっても景色がまったく違う。
森山　だから「ロードムービー」みたいに常に移動ばかりしているんです。あっちに行くと空だけとか、視界が変わる。まわりの家もけっこうかわいく見えてくるんです。昔はそんなふうに考えたこともなかったですけど。ここから見ると、電線もきれいなんですよ。

I棟

森山邸の中で最も天井が高く、路地に対しても開かれた開口を持つ住戸である。天井高は5mほどあり間仕切りがなく、大きな窓が4面に設けられている。開口を全開にするとまるで外にいるような、開放的な空間になる。大きく開け放たれた路地側の窓からは、生活の色や気配が伝わってくるような、路地と部屋の親密な関係を目指した。窓のガラスはペアガラスとし、床暖房を設置して、寒い冬でもエアコンを付けずに快適に過ごすことができる。

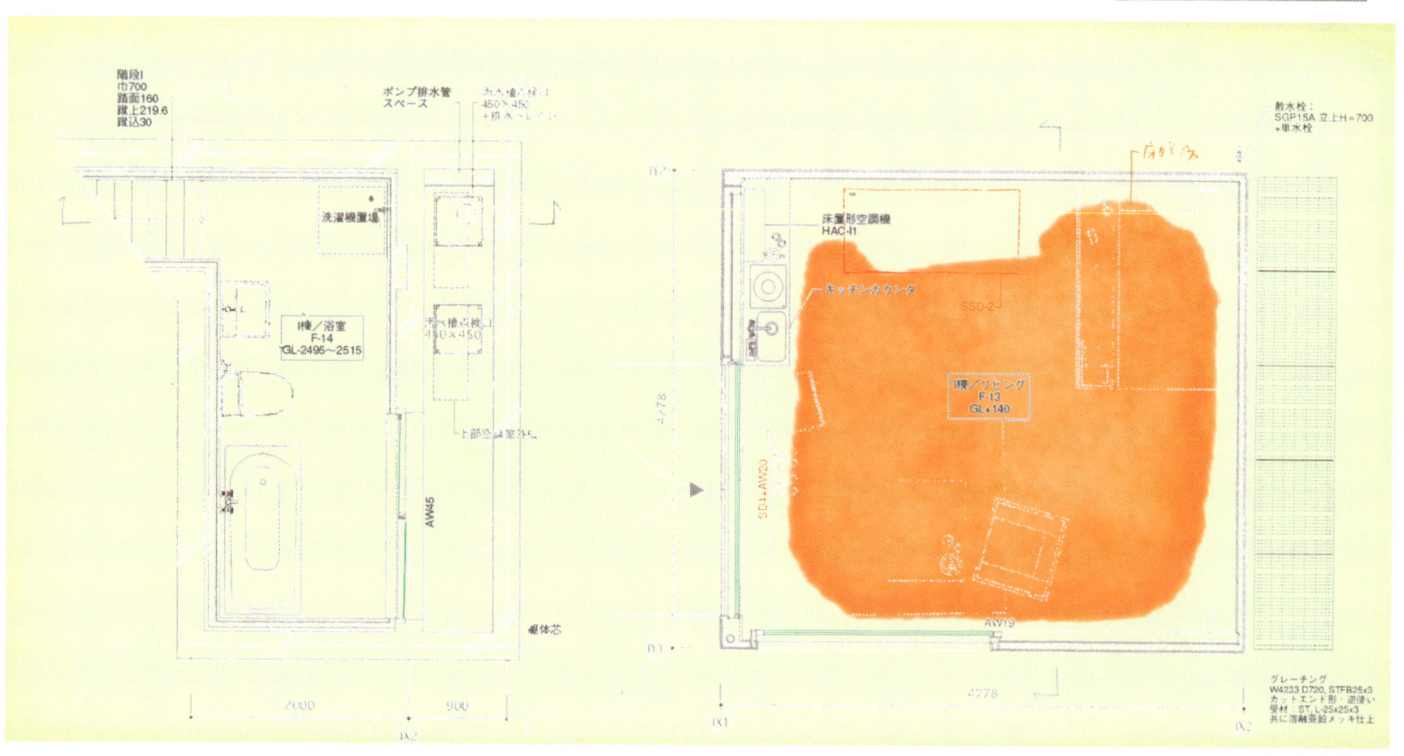

地下1階・1階平面図

地下に光を取り込むために小さな庭を設け、小さな浴室をつくった。

床の開口

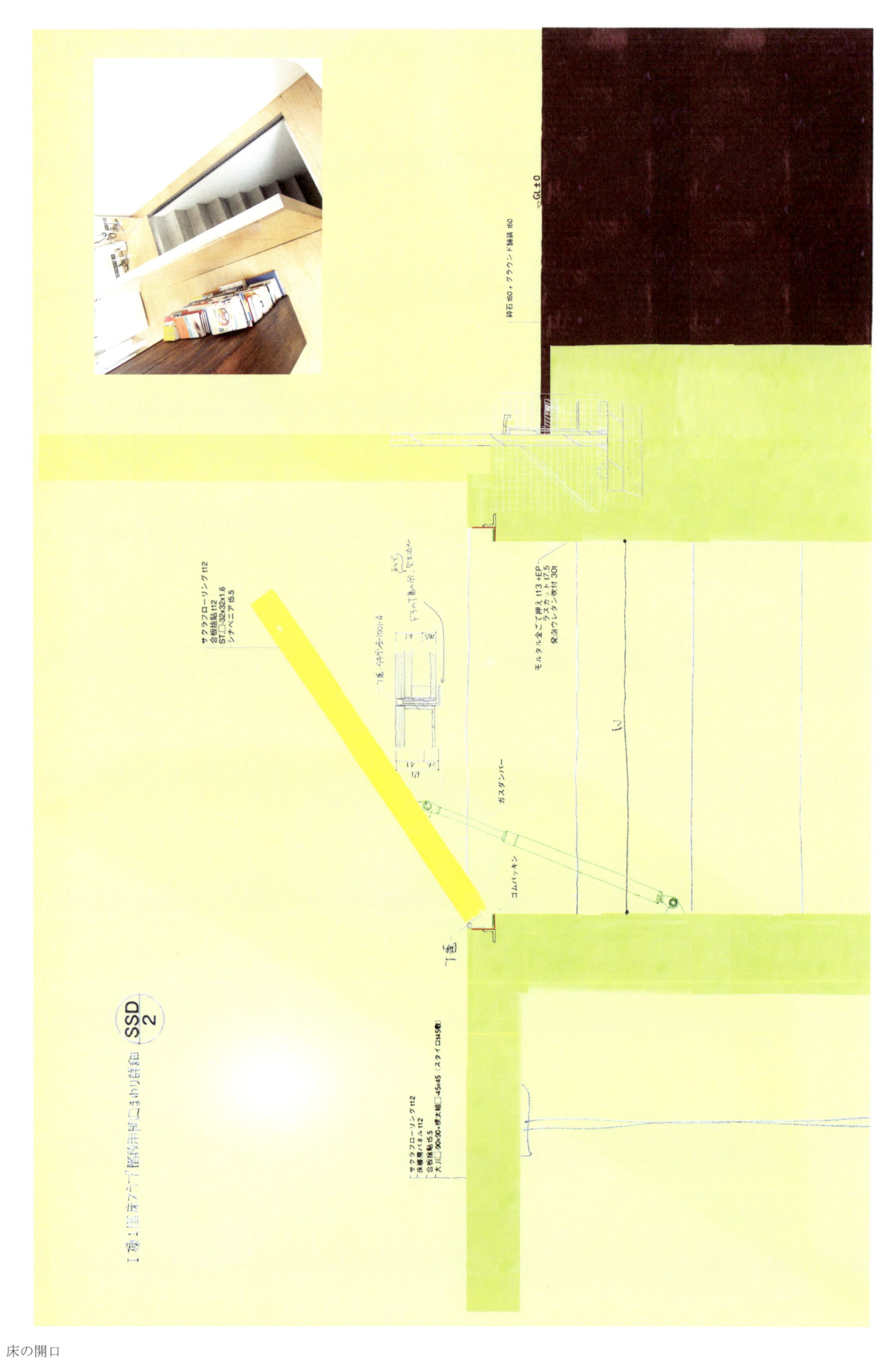

部屋を広く使うことができるようにと考えて、床に開けた開口にふたをした。地下には浴室とトイレがある。日常的に頻繁に開け閉めするため、軽い力で持ち上げることができるようにガスダンパーを使用した。

AW-20 + SD-4
大きな1枚引戸+両開きフラッシュ戸

I棟入口まわり平面図

AW20+SD4 部分詳細図

全開ドア
I棟には全開になるドアが2つある。ひとつは引戸である(A)。大きな1枚引戸を片側に一気に寄せて、路地や庭でパーティーをしたり、腰掛けて休んだりする。もうひとつは両開き戸である(B)。扉を開けるとそれが隣地からの目隠しになり、自分たちの庭が囲まれたようになる。

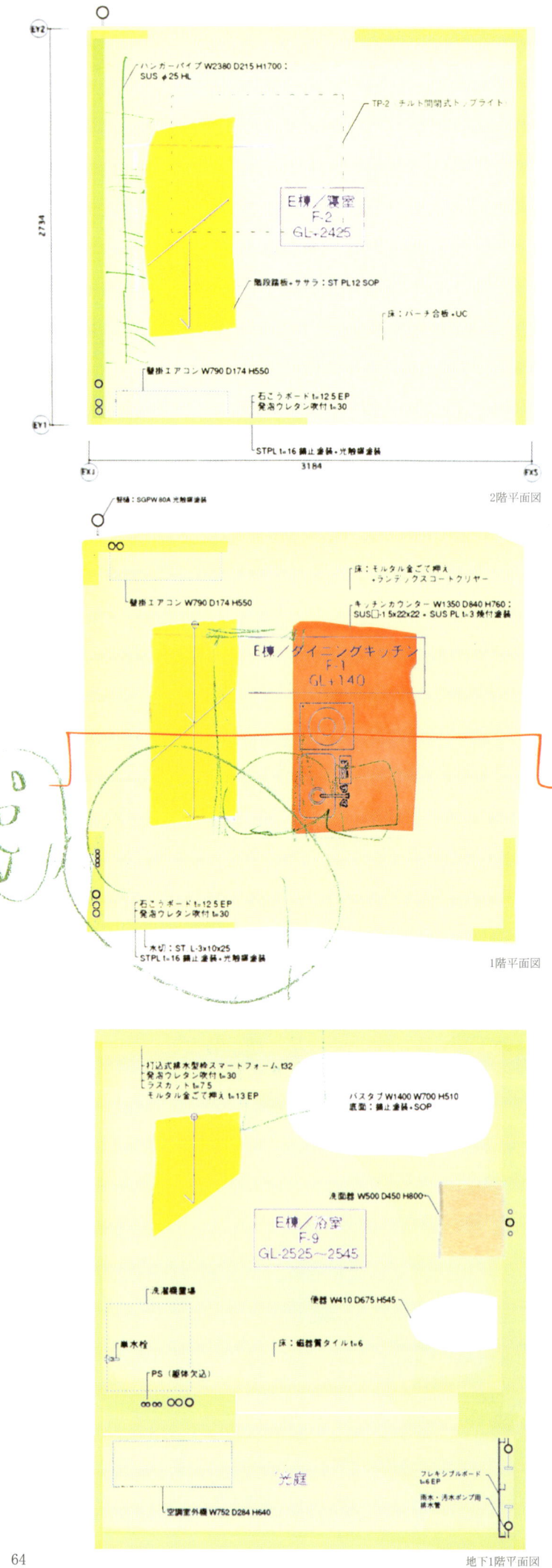

E棟

敷地のいちばん奥に建つ住戸である。4畳半の広さをもつ部屋が3フロア重なった、ワンルームマンションと同じくらいの規模の住戸タイプである。1階は庭に囲まれたダイニングルームで、中央に大きなキッチンテーブルがある。料理をしたり、勉強をしたり、また4面あるサッシを開け放して庭とつなげて、パーティーを開くこともできる。テーブルや階段まわりなどの細かい寸法については、原寸でこの部屋の模型をつくって、通れるぎりぎりの通路寸法を検討した。小さいながらも楽しく快適な住まいを目指した。

部屋と同じ大きさぐらいの庭には、テーブルや椅子やたくさんの花を並べた。あたたかい日は外でごはんを食べたりする。

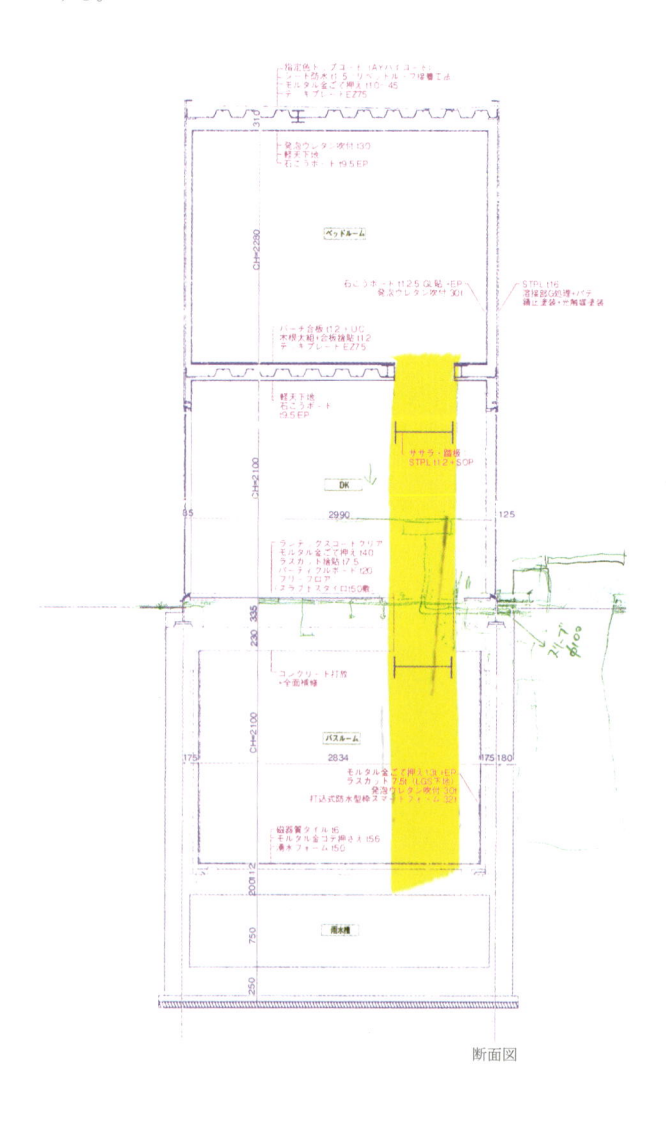

E棟1階ダイニングキッチン

家具

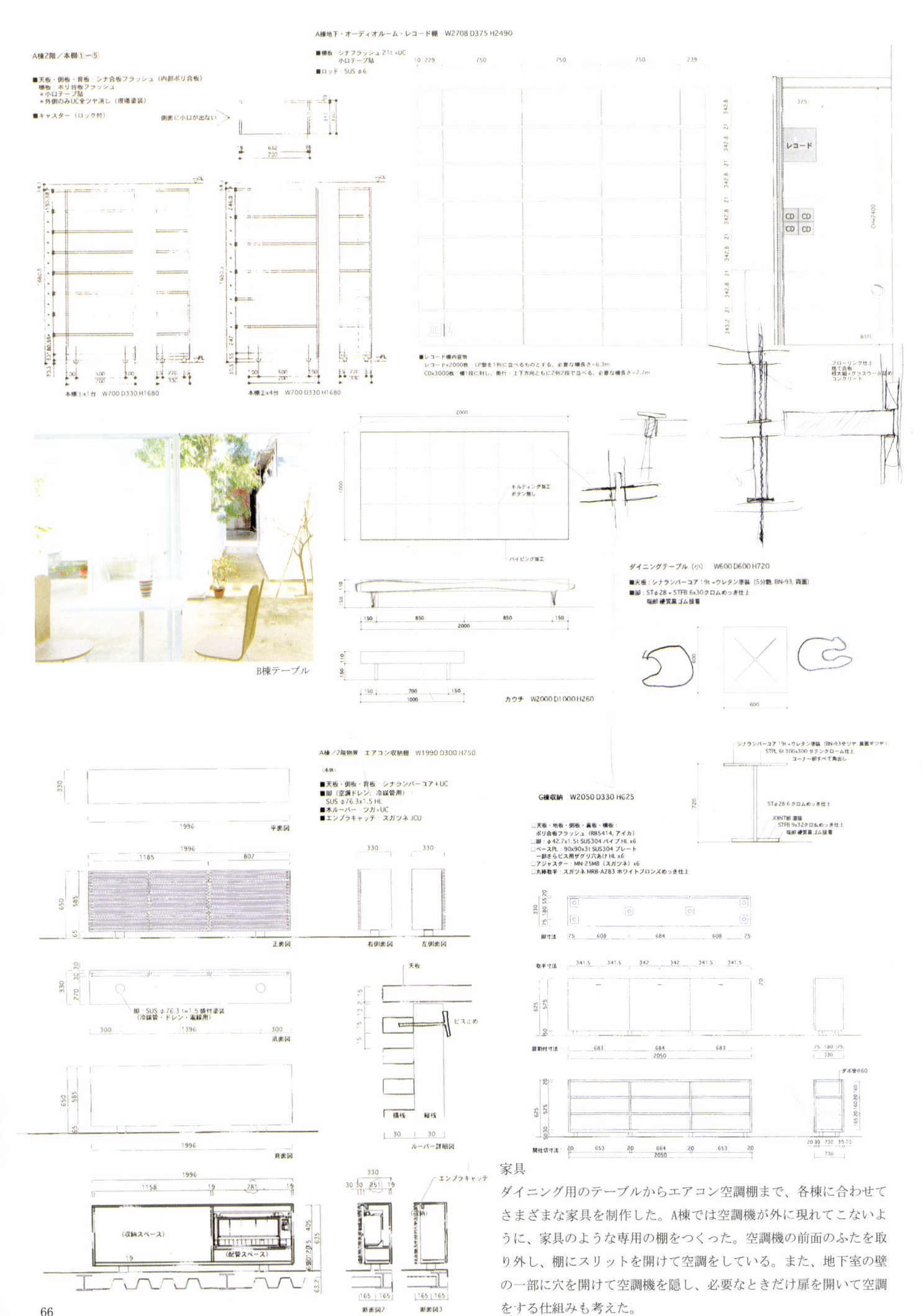

ダイニング用のテーブルからエアコン空調棚まで、各棟に合わせてさまざまな家具を制作した。A棟では空調機が外に現れてこないように、家具のような専用の棚をつくった。空調機の前面のふたを取り外し、棚にスリットを開けて空調をしている。また、地下室の壁の一部に穴を開けて空調機を隠し、必要なときだけ扉を開いて空調をする仕組みも考えた。

キッチン

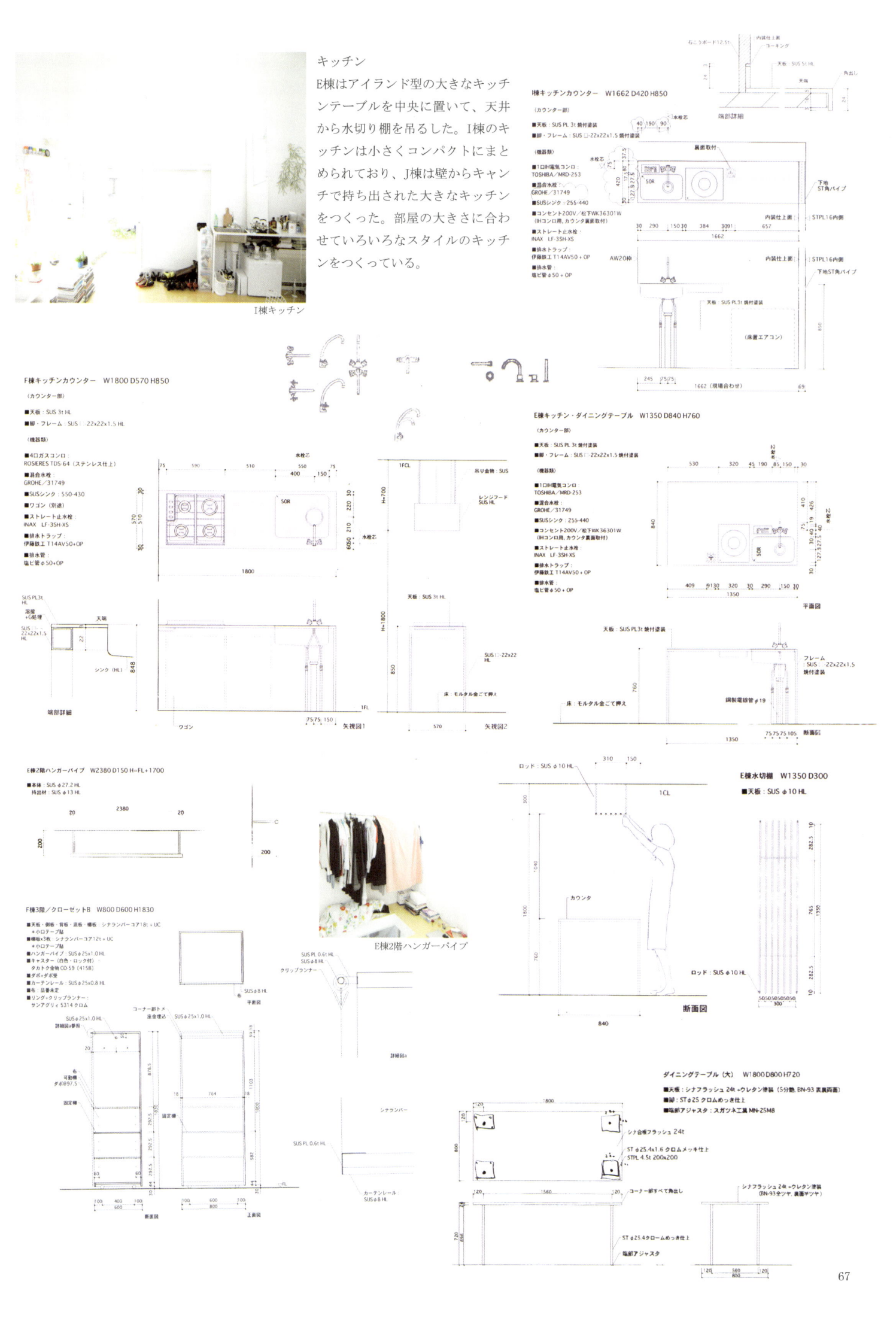

E棟はアイランド型の大きなキッチンテーブルを中央に置いて、天井から水切り棚を吊るした。I棟のキッチンは小さくコンパクトにまとめられており、J棟は壁からキャンチで持ち出された大きなキッチンをつくった。部屋の大きさに合わせていろいろなスタイルのキッチンをつくっている。

船橋アパートメント
Funabashi Apartment, 2002-2004

ワンルームを3ルームに

このプロジェクトでは、3ルーム構成の住戸タイプを提案した。それは、もともとは「ワンルームマンション」というひとつのタイプに対する提案としてつくられた。今回の計画で求められた住戸の規模が、いわゆるワンルームマンションタイプがメインだったからである。

ワンルームマンションと聞いてすぐに思いつく住戸プランというのは、お風呂をユニットバスにして、キッチンをミニキッチンにして、それらをなるべく小さく取り、居室をできるだけ大きくする、というものである。しかし25㎡程度の面積だと、どんなに頑張っても空間はそれほど広くならない。そのあまり広くない居室に、食器棚、ダイニングテーブル、ベッド等々、生活の物品が全部詰め込まれてしまう。

そこで1室構成よりもむしろ3部屋構成のほうがうまくいくのではないか？ と考えて、3ルーム構成の住戸タイプを提案した。キッチンまわりの家具・小物・設備が置かれるキッチン室と、お風呂関連のモノたちが置かれる浴室と、寝床まわりのモノが集まるベッド室、の3部屋構成である。

いわゆるワンルームマンションタイプと比べると寝る空間は小さくなるが、代わりに浴室とキッチン室がたいへん大きくなる。たとえば浴室は、入浴の機能だけのための空間というよりは、それ以外のこともやれそうな、たとえば家具を置いたり植物を置いたり、住み手が自由に空間をつくっていける広さと明るさをもつ。

キッチン室も、いわゆる機能的な最小限をクリアするミニキッチン設備ではなく、電子レンジやトースターや食器棚などキッチンまわりのモノたちをいろいろと並べ立てることができるような部屋である。ベッド室は通常よりかなり小さいが、ベッドやその周辺のモノだけでつくられる空間（電子レンジとか冷蔵庫とかキッチンまわりの小物は並ばない空間）にすることで、小さいながらもこぢんまりとした快適さのある空間を目指した。

これらの室は、入浴とか料理といった各機能のためにつくられた機能空間というよりは、ある意味どこでもリビングルームといえる「3種類の異なるリビングルーム」をつくった感じに近い。これらの室は、もともとは機能から発想された空間だが、しかし最終的に機能にはあまり依存しない、特定の機能に特化されないスペースでありたいと思った。浴室はお風呂が中心でなくてもよく、むしろ行為を限定せず、その人なりに自由におおらかに使える可能性のある空間であるほうがよいと考えた。

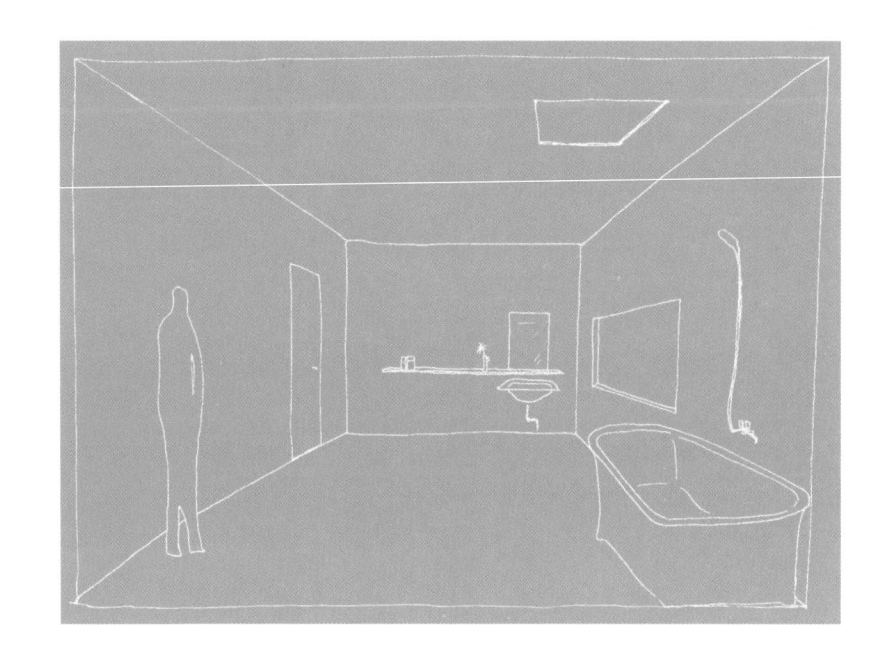

室と開口
建物全体を分割する壁は、基本的にコンクリート壁である。関係性に応じてコンクリートの厚みを変えることで、空間の切り方の強弱が変わっている。RC壁式構造でありながらも可能な限り明るく透明な建物をつくろうと考え、普通よりも大きな開口をいっぱい開けていくことにした。南側だけでなく、東西南北、上方、どこからも分け隔てなく採光していくことを考えた。

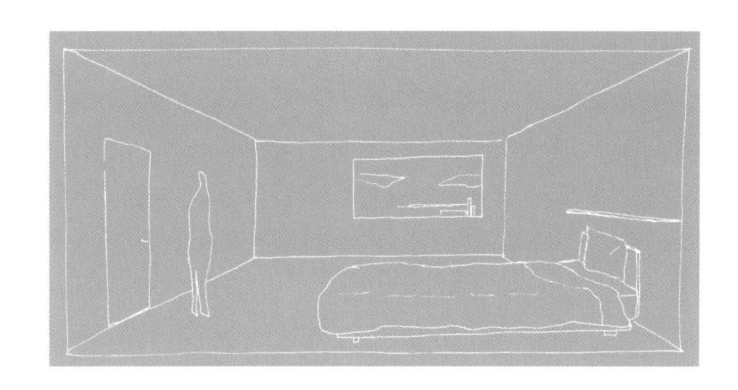

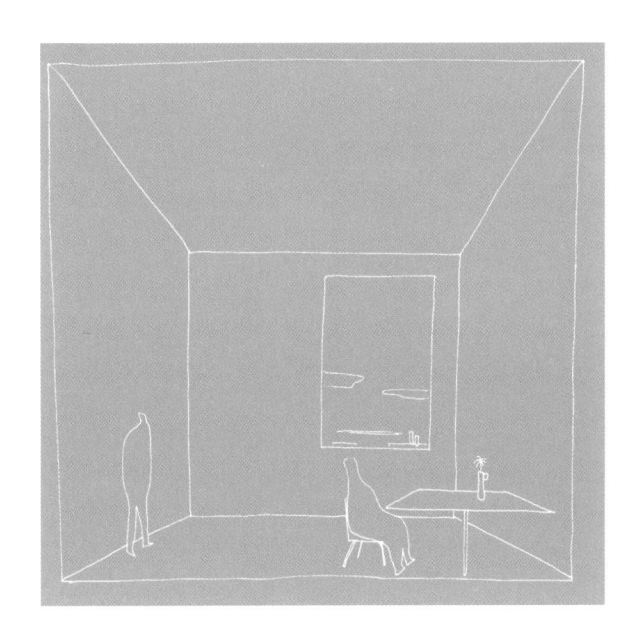

大きな開口部をどんどん開けていくと、壁を隔てた両室に関係性が生まれてくる。各開口は、各室の関係性や共用廊下との関係性によって位置が決まり、また内部の部屋の用途や、キッチンの高さ、浴槽の高さに合わせて具体的寸法が決まった。詳しい寸法と位置は個々で決まっているため、微妙にランダムに並んでいるような感じになった。外観立面も、各室、各開口がお互いに関係し合いながら、位置と大きさが決まっていく全体配列のルールによって、微妙にランダムな配列となって現れた。このように大きな開口をいっぱい開けることで、各住戸、各室同士が無関係に並ぶのではなくて、お互いに遠近を考えながらも常に関係を保ち続けるような状態をつくり出したいと考えた。

小さな空間が集合した状態について
この計画は、はじめは集合住宅というビルディングタイプに対する解答として始まったものだが、しだいに、集合住宅という特定の用途よりももう少し広く、このように小さな空間がいっぱい集合する同様の構成をもった建築物全般に対しても、ひとつの提案たり得るのではないかと考えるようになった。
似た感じの大きさの小空間が大量に集中する建物タイプに対する最も鮮やかな回答のひとつは、「刑務所」であろう。まったく同じ大きさの空間が、互いに関係をもつことなしに、規則的に配列される。今までの集合住宅の多くは、この刑務所的集合を多用してきた。しかし今回の提案は、この集合とは逆の、それを超えるような提案を目指した。似た感じの大きさの小空間が複数集合するが、そのどれもが似ていながらも違っていて、それらは多様性や個別性・プライバシーを各々維持しながらも、どれも無関係ではなく切実に動的に関係し合うことを目指した。

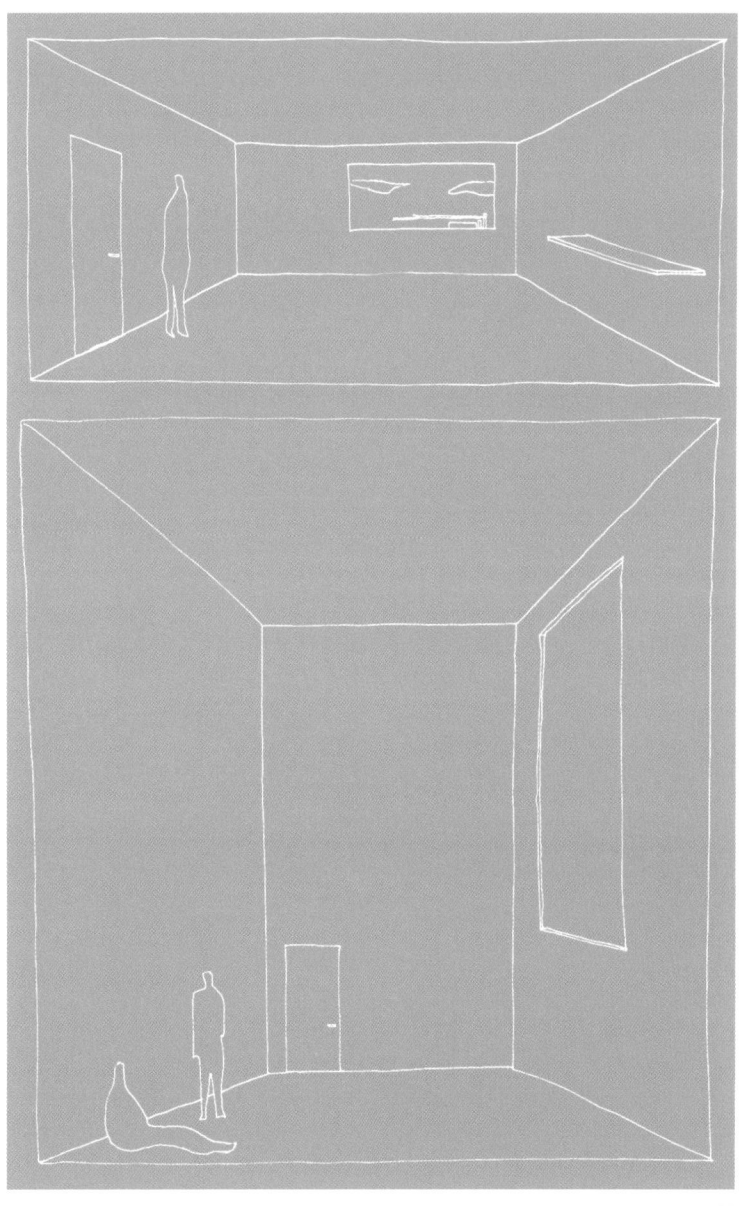

W-1 コンクリート打放シ 補修ノ上EP
W-2 コンクリート打放シ t=90 補修仕上ゲ
W-3 コンクリート打放シ・塗膜防水・モルタル金コテ押エ t=40・EPG
W-4 軽量間仕切・ラスカット t=7.5・塗膜防水・モルタル金コテ押エ t=40・EPG
W-5 軽量間仕切・石コウボード t=12.5・EP

W-6 コンクリート打放シ・発泡ウレタン吹付 t=15・石コウボード t=12.5GL貼・EP
W-7 コンクリート打放シ 補修ノ上EP及水割
W-8 コンクリート打放シ 補修仕上ゲ
W-9 コンクリート打放シ t=90 補修ノ上EP

平面計画

東京近郊の地方都市に建つ、15戸の賃貸集合住宅である。各住戸の採光と通風を南面だけでなく、あらゆる方向から取り入れられるように考えた。建物は9.6×26mの四角いボリュームで、ランダムなピッチで反復する縦横グリッドによって全体を分割している。それによってできたいろいろなサイズの空間に、浴室、キッチン、寝室などといった必要な機能を振り分けていった。

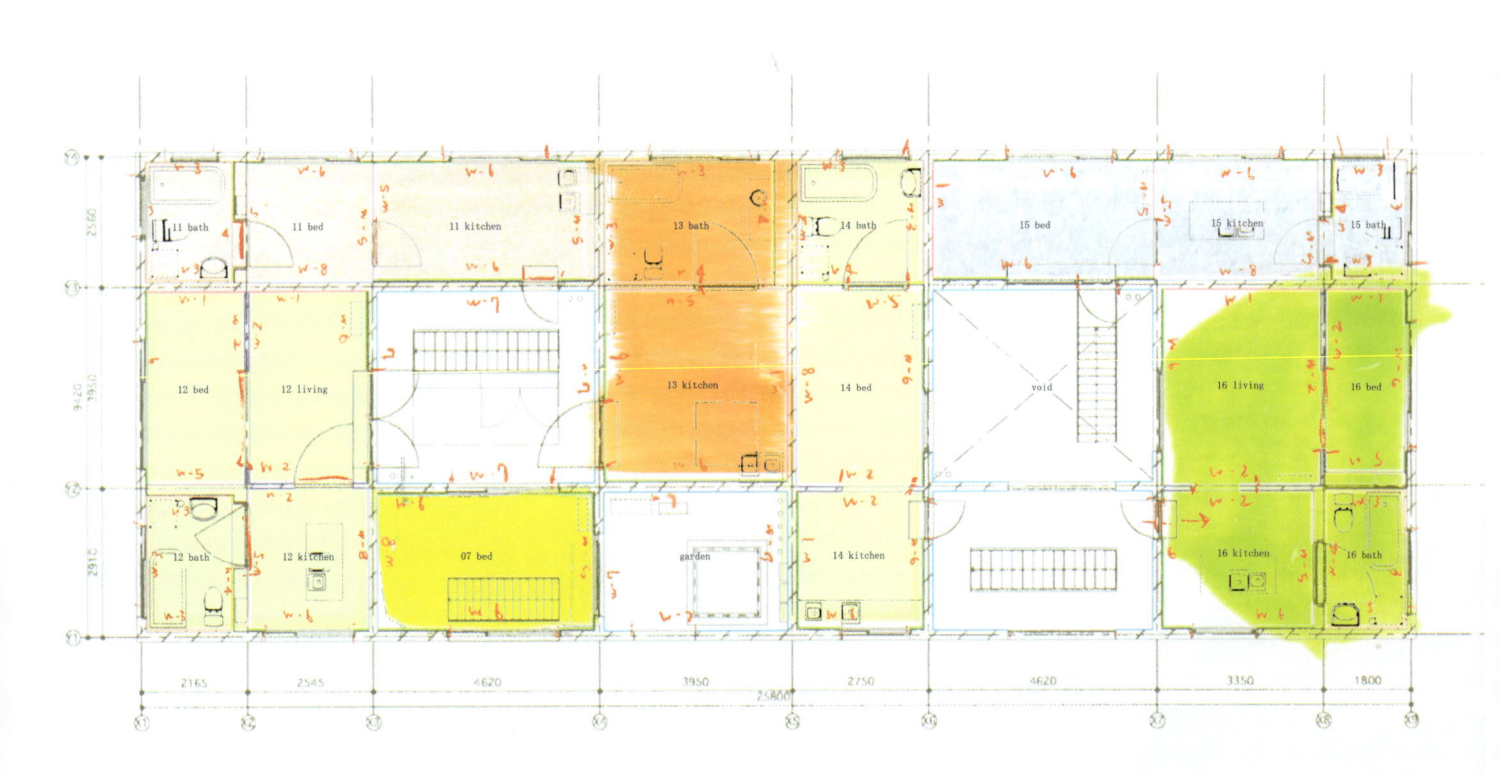

建物を分割する壁は基本的にコンクリートであるが、防水が必要な浴室や、断熱が必要な壁、パイプスペースが必要な部屋などは白い塗装仕上げにしている。部屋の場所によって仕上げの仕方が異なり、白い壁とコンクリートの壁が入り交ざることによって、室内に明暗が生まれた。またそこに大きい開口を開けることによって、分節され独立したプライバシーを保ちながらも、建物の奥まで光を取り入れられるようにした。

2階・3階平面図

南立面図

豊島美術館
Teshima Museum, 2004-

瀬戸内海に浮かぶ、自然豊かな島。山が大きく、緑も水も豊かである。

自然と棚田と集落が交ざり合う。よく調和した風景。

山の小道をくぐり抜けて敷地へ向かう。

① 付近見取図

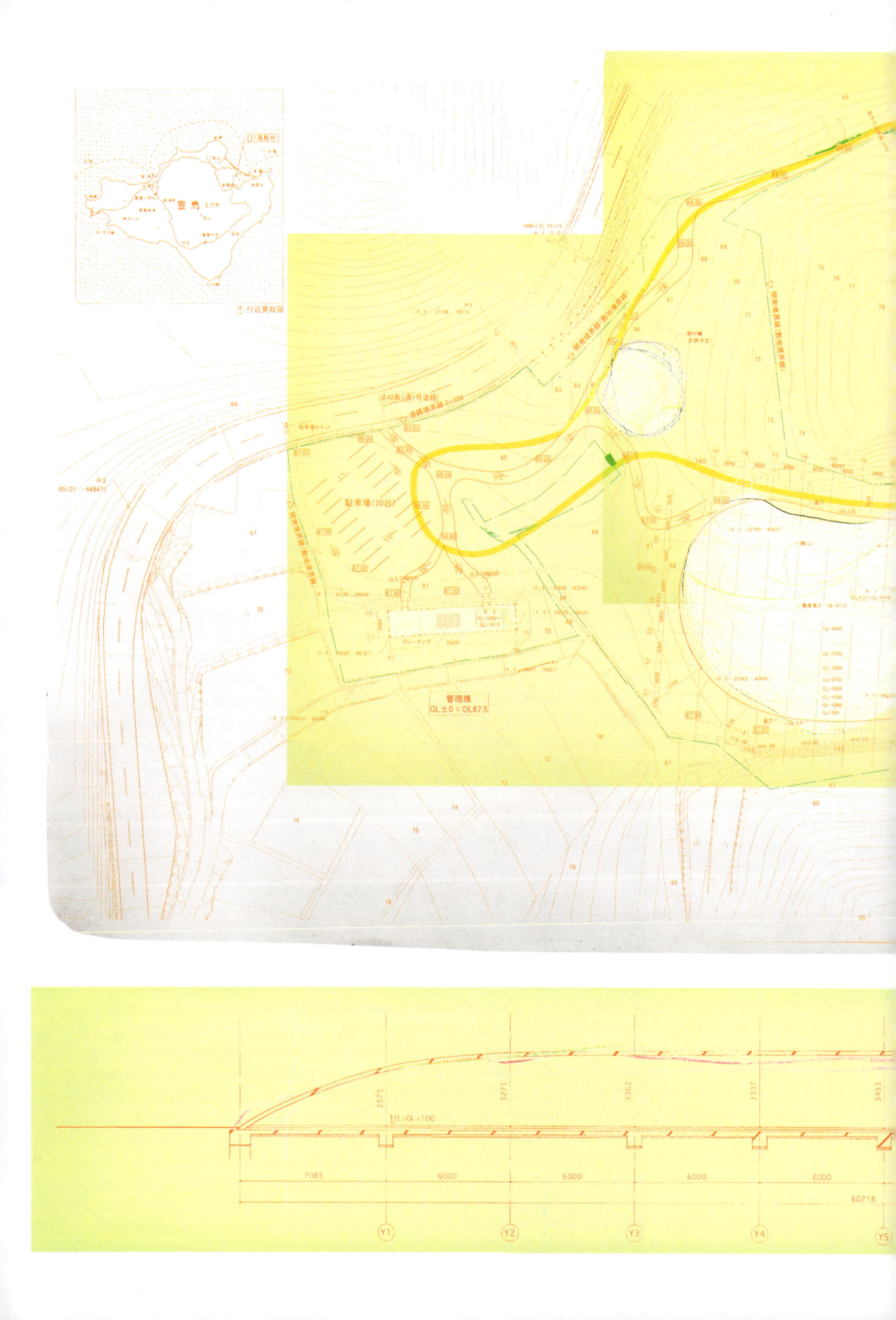

豊島 土庄町

駐車場(20台)

管理棟
GL±0 = DL67.5

(Y1) (Y2) (Y3) (Y4) (Y5)

全体計画
瀬戸内海の豊島に計画中の美術館で、ただひとつの作品が永久展示される。敷地は瀬戸内海を望む小高い丘陵地にある。棚田と自然が交ざり合うような美しい環境で、まわりにはビルや家などの建造物が存在しない。ここで私たちが考えたのは、水滴のような建築形状である。地形の起伏が豊かなので、水滴のように自由な曲線をもつ形状が、周辺にやわらかく溶け込みながらも、ひとつの強い建築空間をつくり出せるのではないかと考えた。コンクリートの薄いシェル版が最大で約60m飛び、それによって内部に大きく有機的なワンルームの空間が生まれている。天井高を通常のシェル構造よりもはるかに低く抑えることで、外観においては丘や坂道のようなランドスケープ的なものに近い存在感、建築形状をつくり出し、また内部においては、紙の上に置かれた雫のような、水平に伸びる有機的空間をつくり出す。シェルには複数の穴が開けられて、そこから光や美しい自然の気配を取り込む。ここでは、単に美術館建築を建てるというのではなく、環境と建築の融合、また美術と建築の融合を目指して、それらすべてでひとつの単位となるような存在を目指している。

配置図

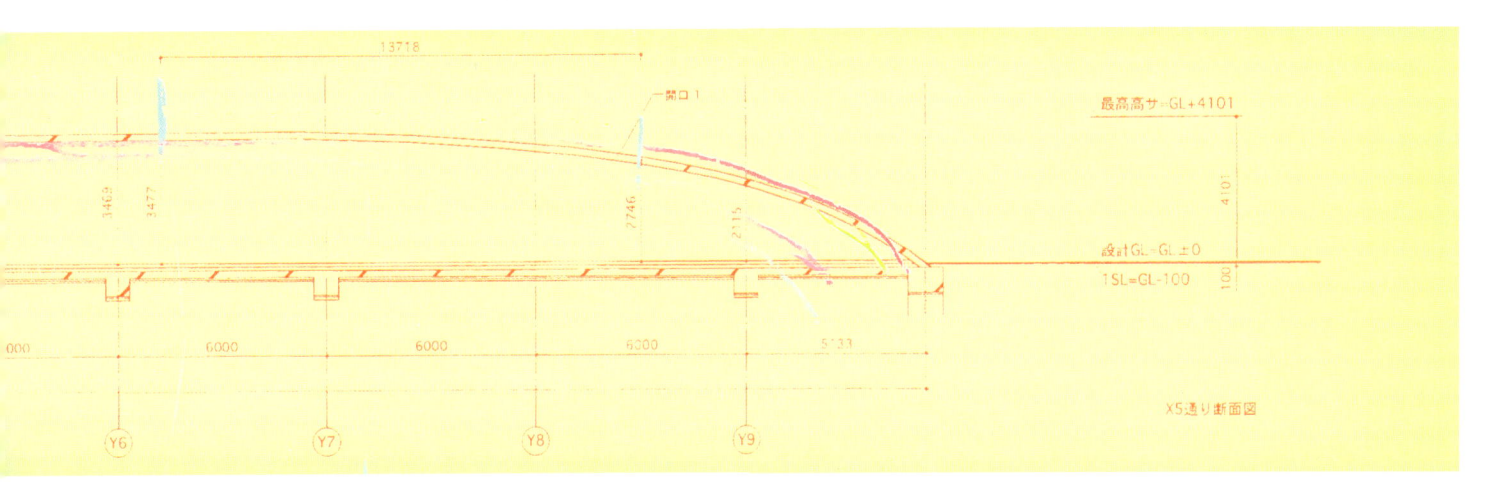

X5通り断面図

1.09 メイン棟 矩計図

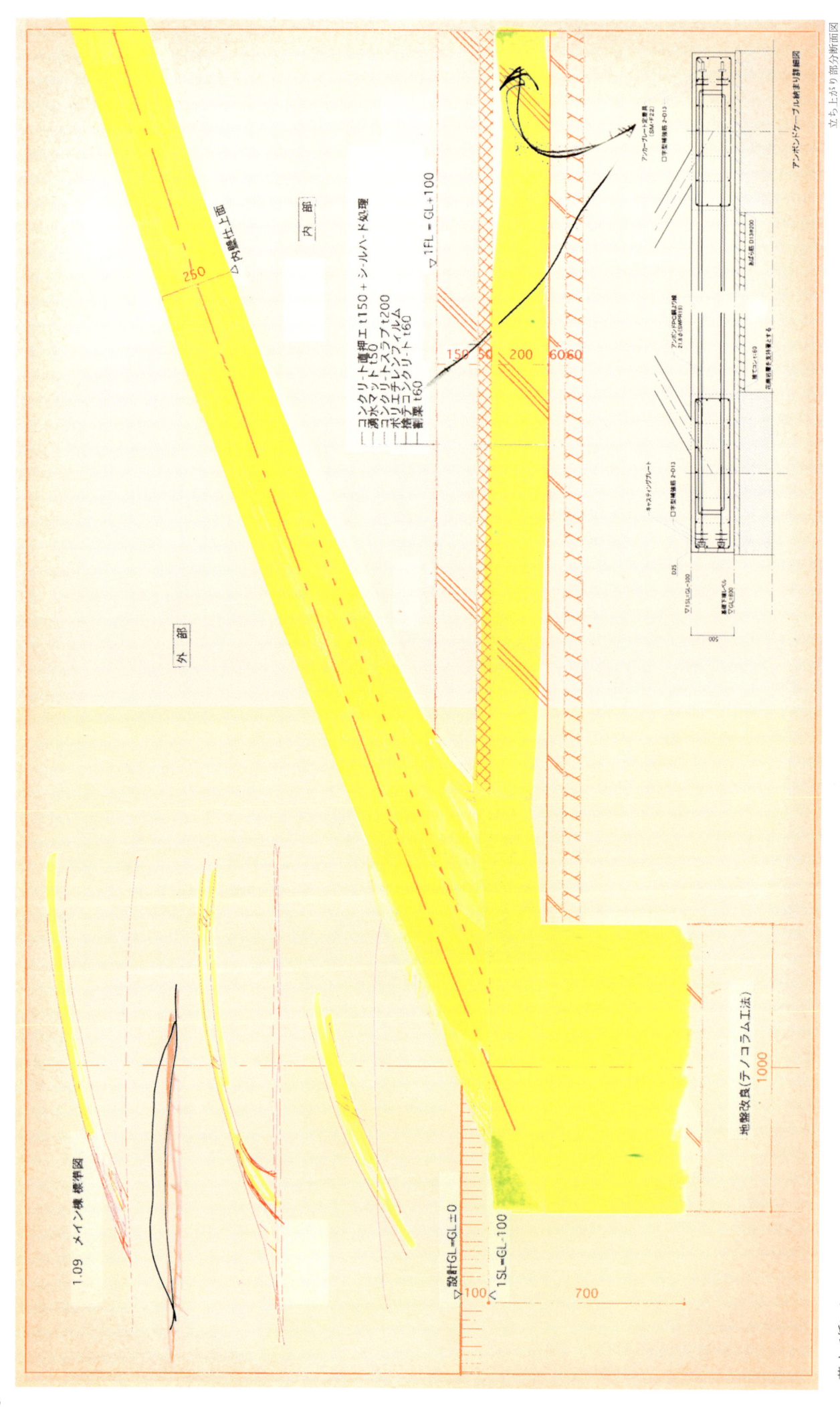

内壁仕上面
250

コンクリート直押エt150＋シールハード処理
勇水マットt50
コンクリートスラブt200
ポリエチレンフィルム
捨コンクリートt60

内 部
▽1FL＝GL+100

外 部

150 50 200 60 60

地盤改良（テノコラム工法）
1000

▽設計GL＝GL±0
▽1SL＝GL-100
100 700

立ち上がり部分断面図

アンボンドケーブル納まり詳細図

薄くて低いシェル
60mのスパンに対してライズが4m。コンクリートの厚みは60mのスパンに対して250mm。非常に薄くて低いシェルである。外に向かって強い力（スラスト）が発生するため、地中梁にプレストレスをかけている。

開口部断面図

開口断面
直径10m以上の大きな開口を2つ、シェルの上に開けた。シェルの上に開けた。自然環境と大きなつながりが感じられるように、ガラスを入れず、光や雨風が入ってくるような開口とした。

水切り　開口部分平面図・開口端部断面図

コンクリートを変形させて金物を使わない水切りにした。穴はゆるく傾斜しているため、水上から水下まで楕円状の開口端部に沿ってグラデーション状に大小の水切りがつくられる。防水や仕上げ材、金物といった建築的なものをあまり感じさせないような、自然の状態に近いものを目指している。

入口部分平面図・入口端部断面図

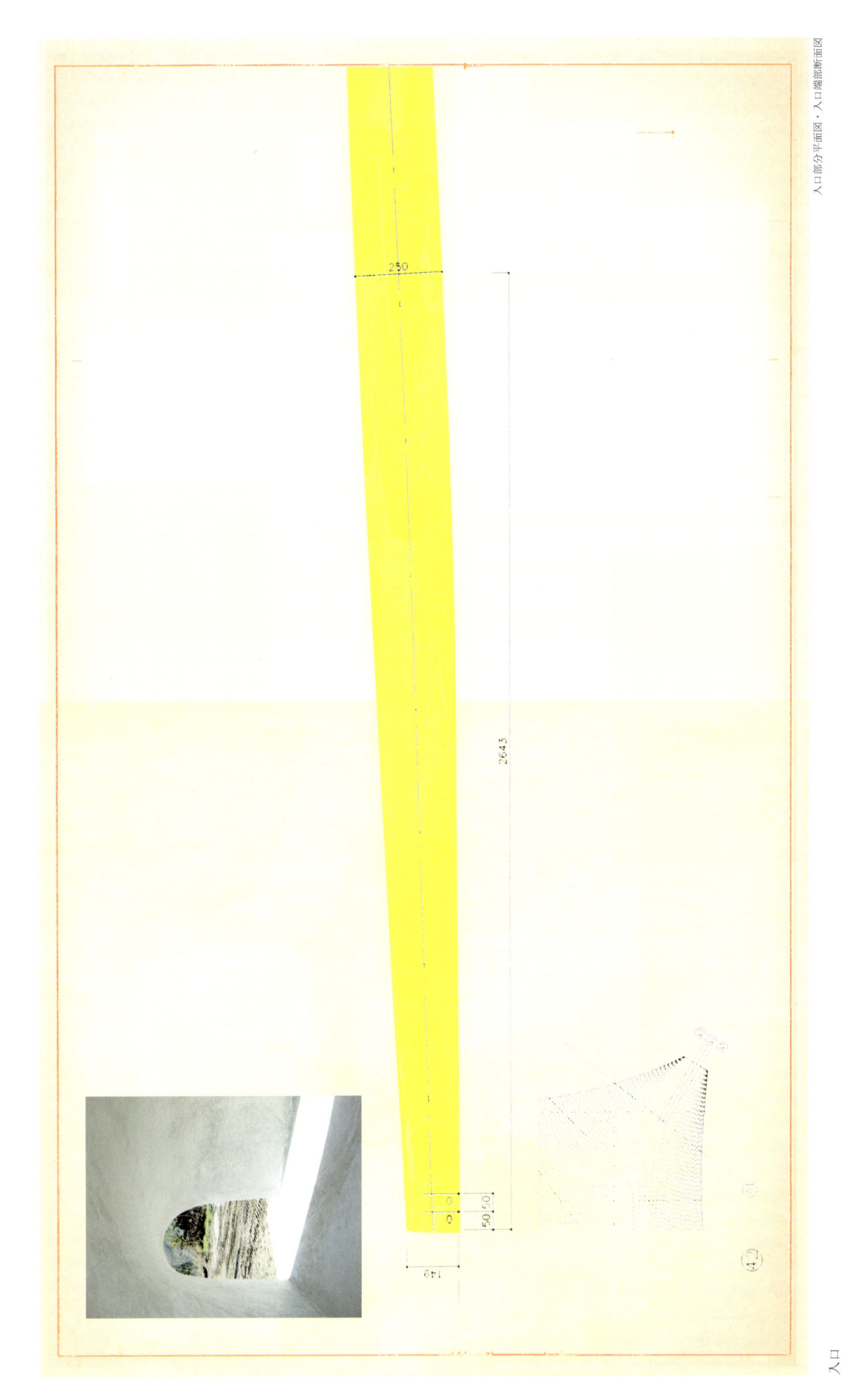

入口

建物のアプローチとなる、高さ2mほどの入口。入口の開口に対して、250mm厚のコンクリートがスケールと合わないため、入口に近づくにつれてシェル厚が薄くなる。水切りは不要な角度にしている。

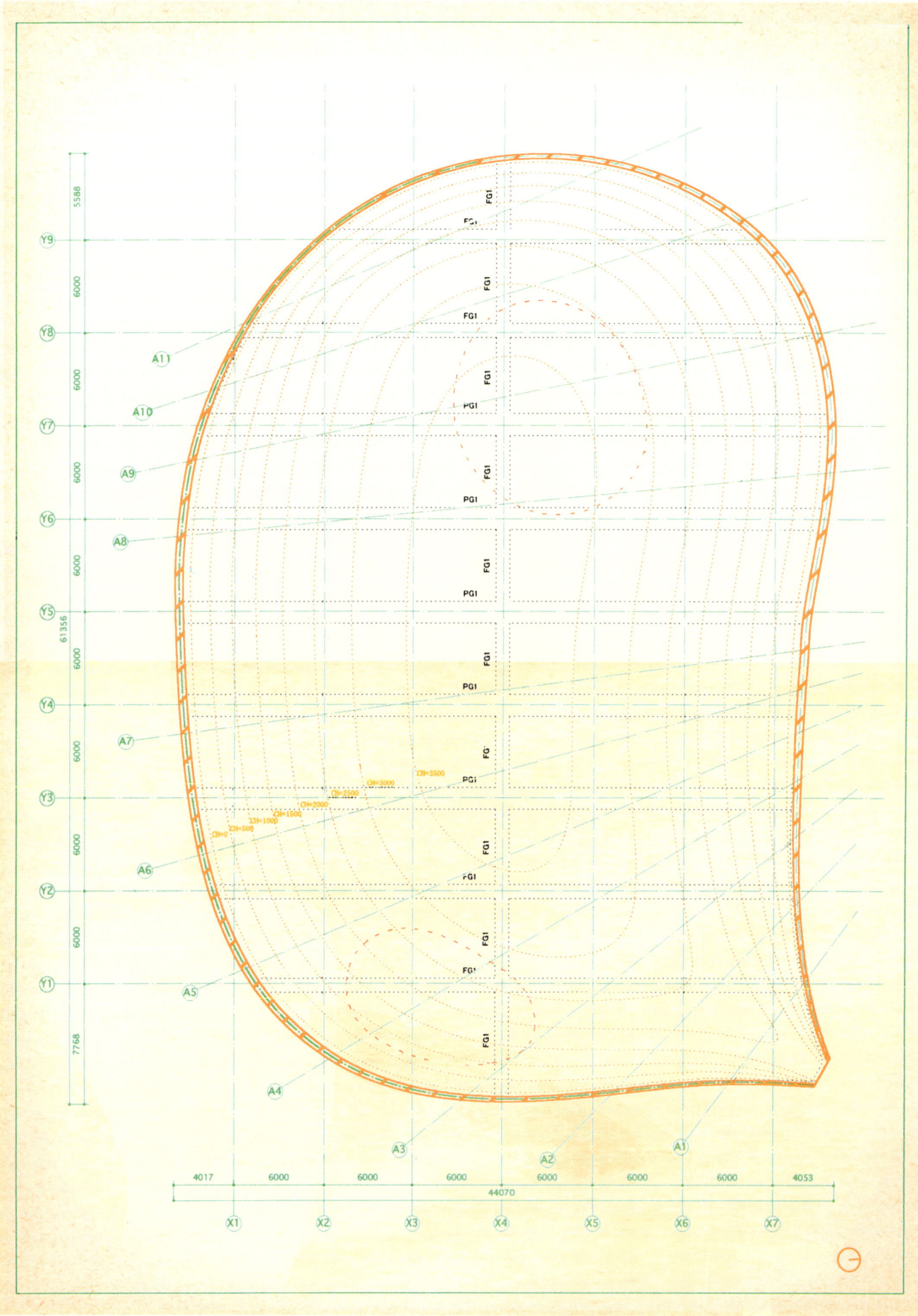

平面詳細図

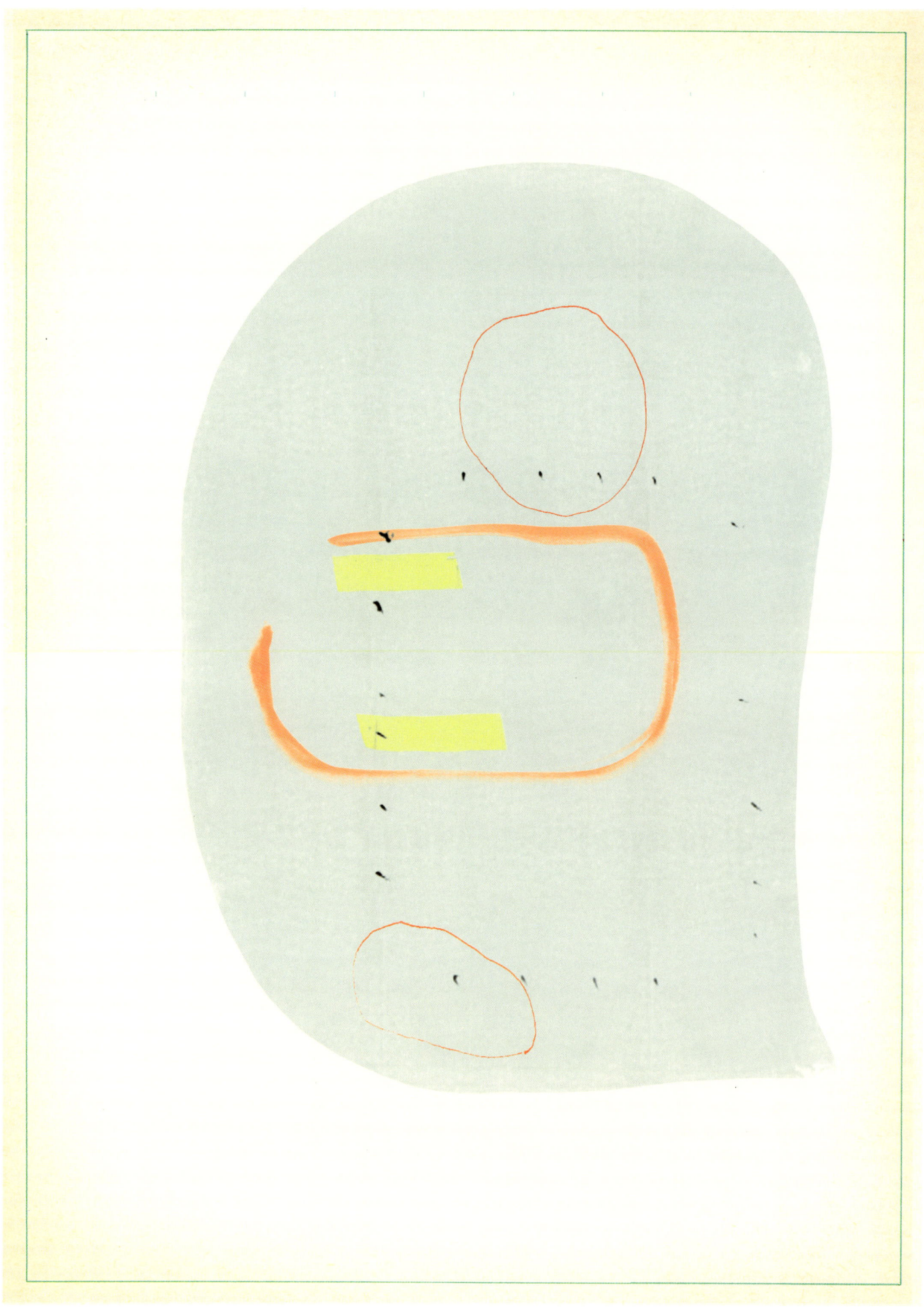

2つの開口とアートの位置検討

小山登美夫ギャラリー代官山
TKG Daikanyama, 2007

このプロジェクトは、代官山ヒルサイドテラスA棟のいちばん交差点寄りの1室に計画された。前庭をはさんで代官山の大交差点に面する、非常に魅力的なロケーションであった。インテリアデザインのプロジェクトとはいえ、都市の交差点からどう見えるかという、都市の中での現れ方も考えたくなるような、インテリアをちょっと超えたプロジェクトだと感じた。求められた機能は、ギャラリー機能、つまり平面作品のための展示壁と立体作品を置くスペース、接客スペース、受付コーナー、倉庫などであった。

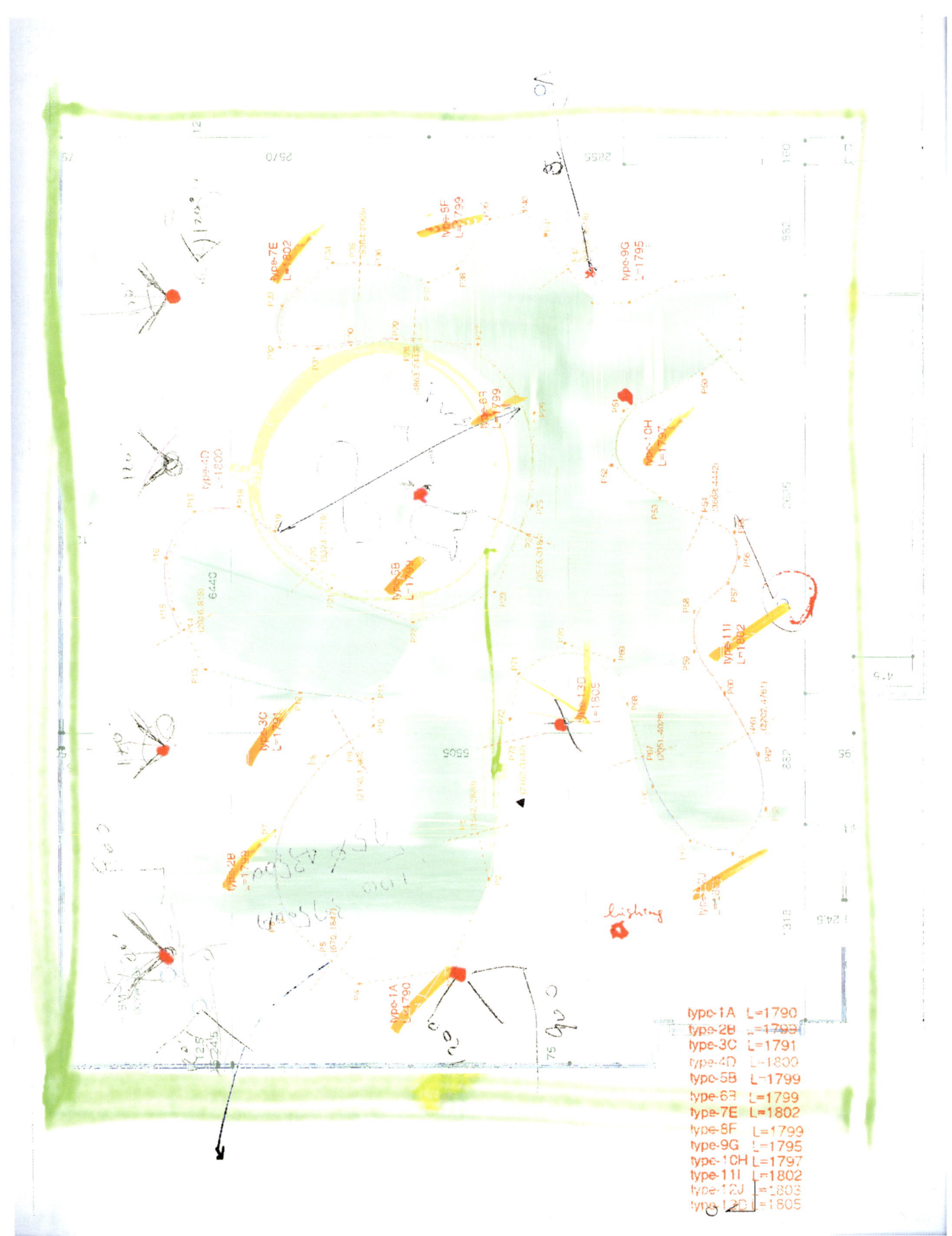

type-1A　L=1790
type-2B　L=1793
type-3C　L=1791
type-4D　L=1800
type-5B　L=1799
type-6B　L=1799
type-7E　L=1802
type-8F　L=1799
type-9G　L=1795
type-10H　L=1797
type-11I　L=1802
type-12J　L=1803
type-13K　L=1805

私たちが考えたのは、花のような平面形をした、カーブする透明なアクリルの塊を部屋の真ん中に置くことによって、空間のアイデンティティをつくり出す、というものであった。花のようなアクリルのまとまりは非常にあいまいで、存在しないかのような明るさと軽さをもちながらも、なんとなく室内に存在している。部屋の小ささに比べて非常に大きな塊なので、ぎゅうぎゅう詰めの状態だが、透明なので、それはどこかあるようなないような、空間の雰囲気そのもののような、彫刻作品でもあるような、微妙な存在となった。

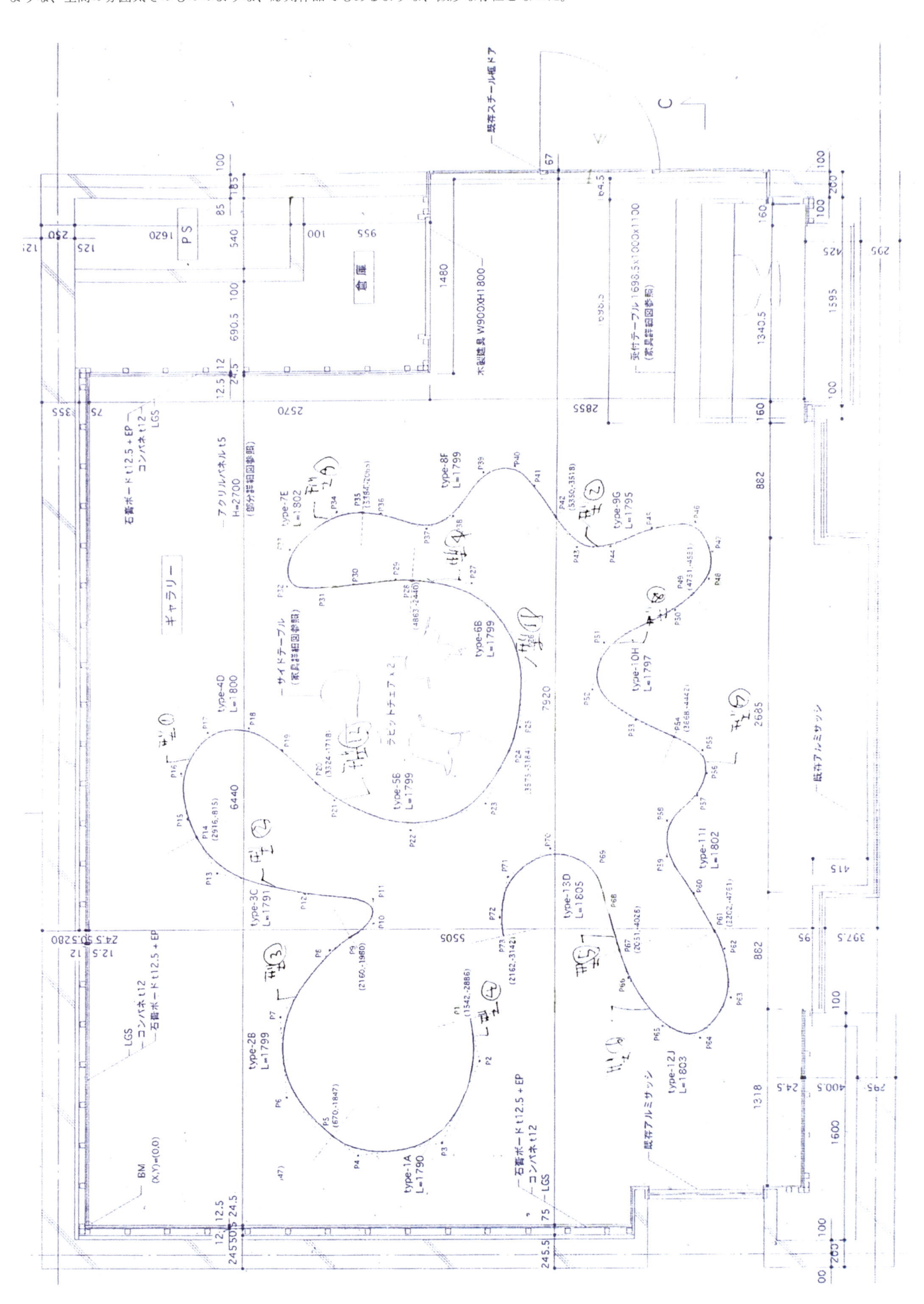

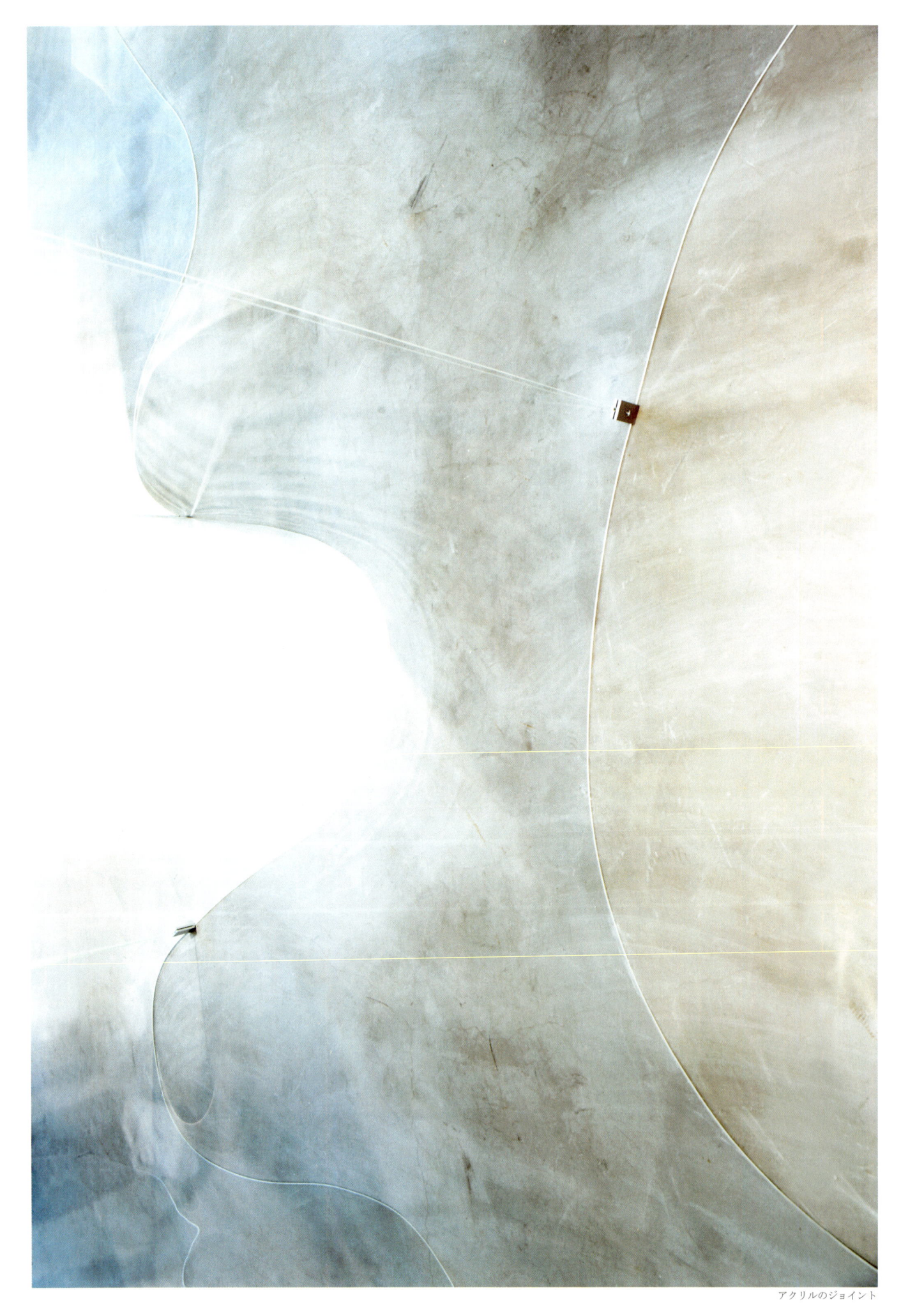

アクリルのジョイント

ジョイント

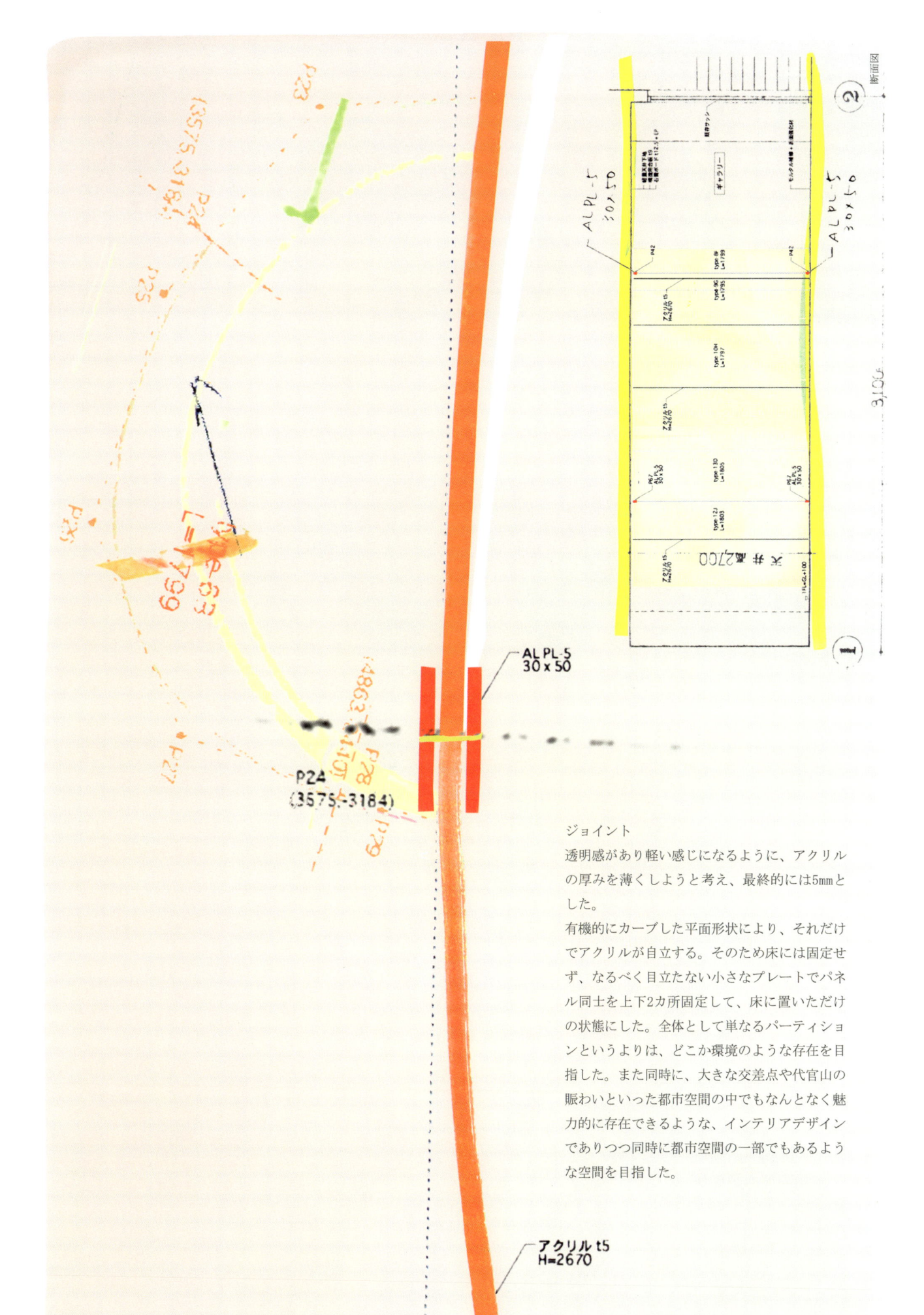

透明感があり軽い感じになるように、アクリルの厚みを薄くしようと考え、最終的には5mmとした。
有機的にカーブした平面形状により、それだけでアクリルが自立する。そのため床には固定せず、なるべく目立たない小さなプレートでパネル同士を上下2カ所固定して、床に置いただけの状態にした。全体として単なるパーティションというよりは、どこか環境のような存在を目指した。また同時に、大きな交差点や代官山の賑わいといった都市空間の中でもなんとなく魅力的に存在できるような、インテリアデザインでありつつ同時に都市空間の一部でもあるような空間を目指した。

アクリルジョイント部分詳細図

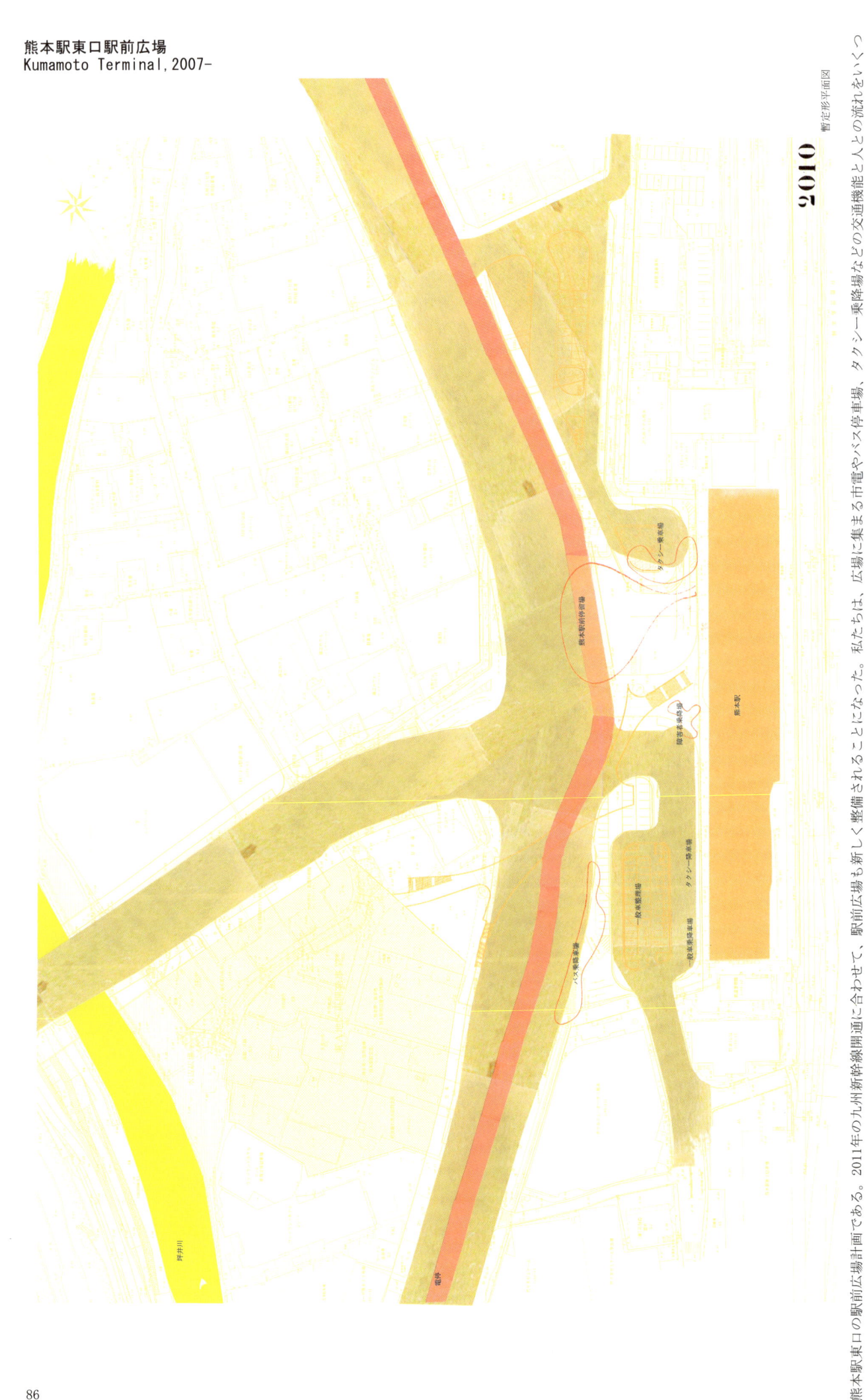

熊本駅東口駅前広場
Kumamoto Terminal, 2007-

2010 暫定形平面図

熊本駅東口の駅前広場計画である。2011年の九州新幹線開通に合わせて、駅前広場も新しく整備されることになった。私たちは、広場に集まる市電やバス停車場、タクシー乗降場などの交通機能と、広場に集う人との流れをいくつかに分けて、その上にやわらかな雲形をした。フラットな屋根をかけた。この複数の屋根は、強い日差しや大雨から広場の利用者を守り、お互いに関係し合いながら雲のように浮かび、広場全体を構成している。それぞれの動線と機能をもつ場に屋根をかけることで、単にバスやタクシー、電停の待ち合いの場としての機能を超えて、さまざまな活動ができる空間をつくることができる。広場の完成は2018年に予定されているが、計画が長期間に及ぶため、完成形と暫定形の提案を行った。

2018

完成形平面図

暫定形
熊本駅東口と市営電車のプラットフォームを大きな上屋でつなぐ提案。プレストレストコンクリート造の薄いスラブと鉄骨の柱で構成される。屋根の大きさは約1000㎡、スラブの厚みは400㎜。不整形な曲面でできており、14本の柱が不規則に配置されている。

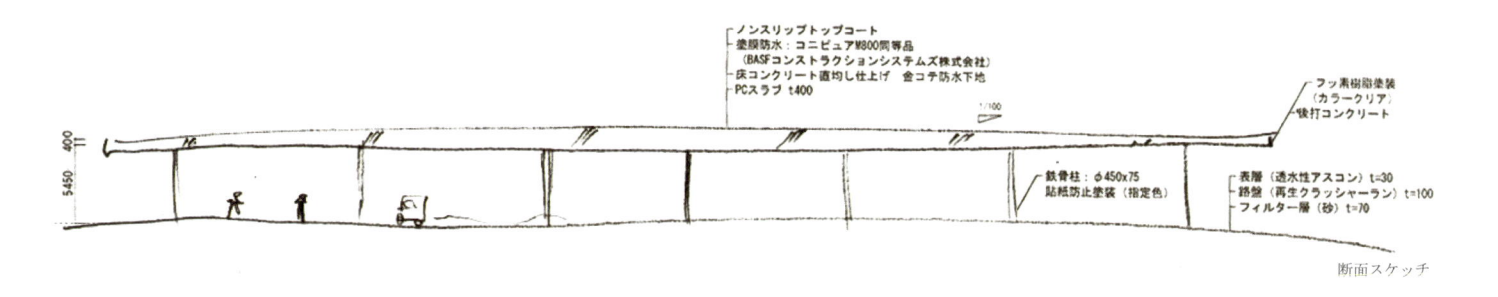

断面スケッチ

誰でも気軽に立ち寄れ、特定の目的をもたずともくつろぐことができる、公園のような駅前広場となる。

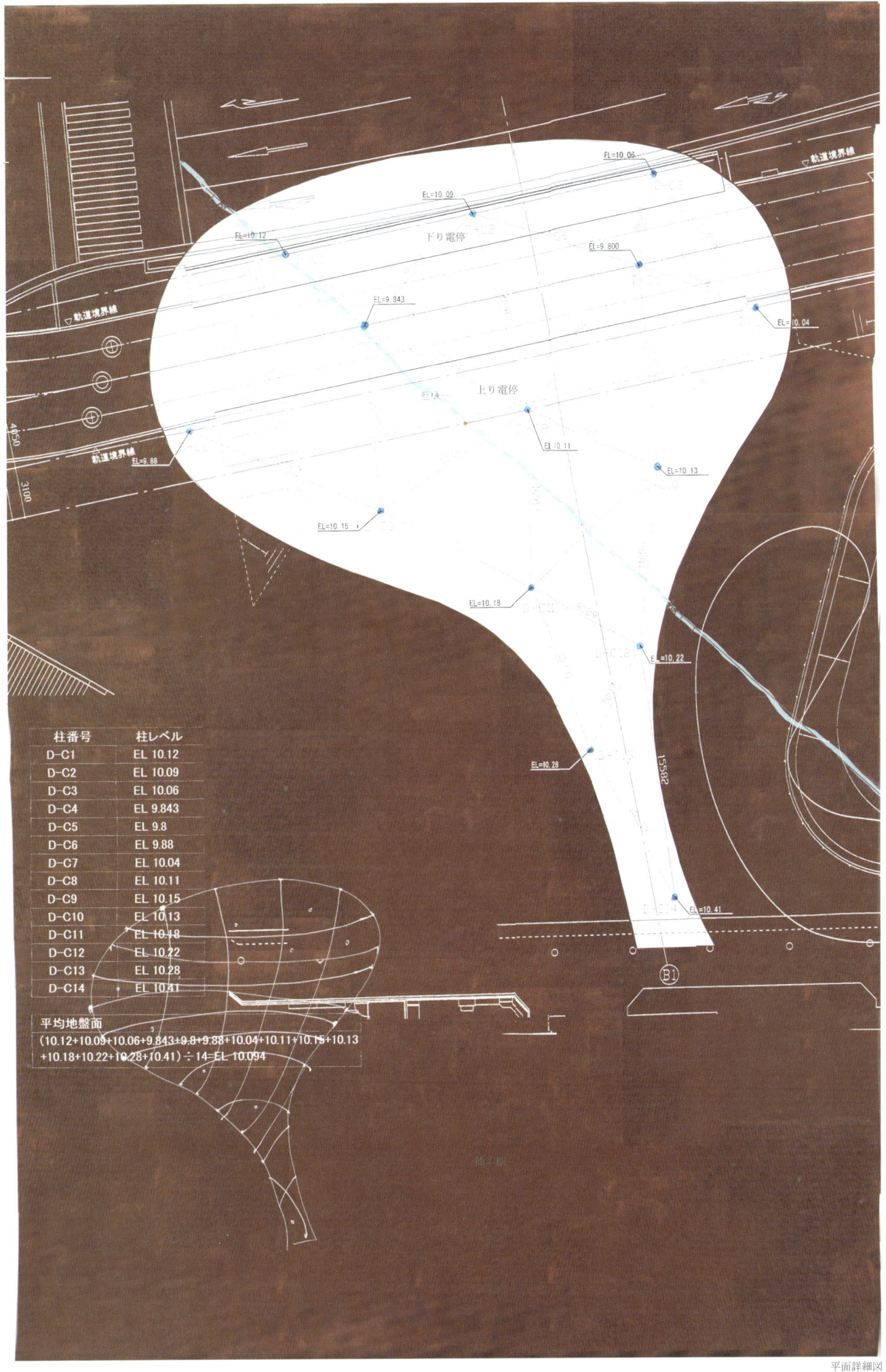

柱番号	柱レベル
D-C1	EL 10.12
D-C2	EL 10.09
D-C3	EL 10.06
D-C4	EL 9.843
D-C5	EL 9.8
D-C6	EL 9.88
D-C7	EL 10.04
D-C8	EL 10.11
D-C9	EL 10.15
D-C10	EL 10.13
D-C11	EL 10.18
D-C12	EL 10.22
D-C13	EL 10.28
D-C14	EL 10.41

平均地盤面
(10.12+10.09+10.06+9.843+9.8+9.88+10.04+10.11+10.15+10.13+10.18+10.22+10.28+10.41)÷14=EL 10.094

平面詳細図

PC配線形状図

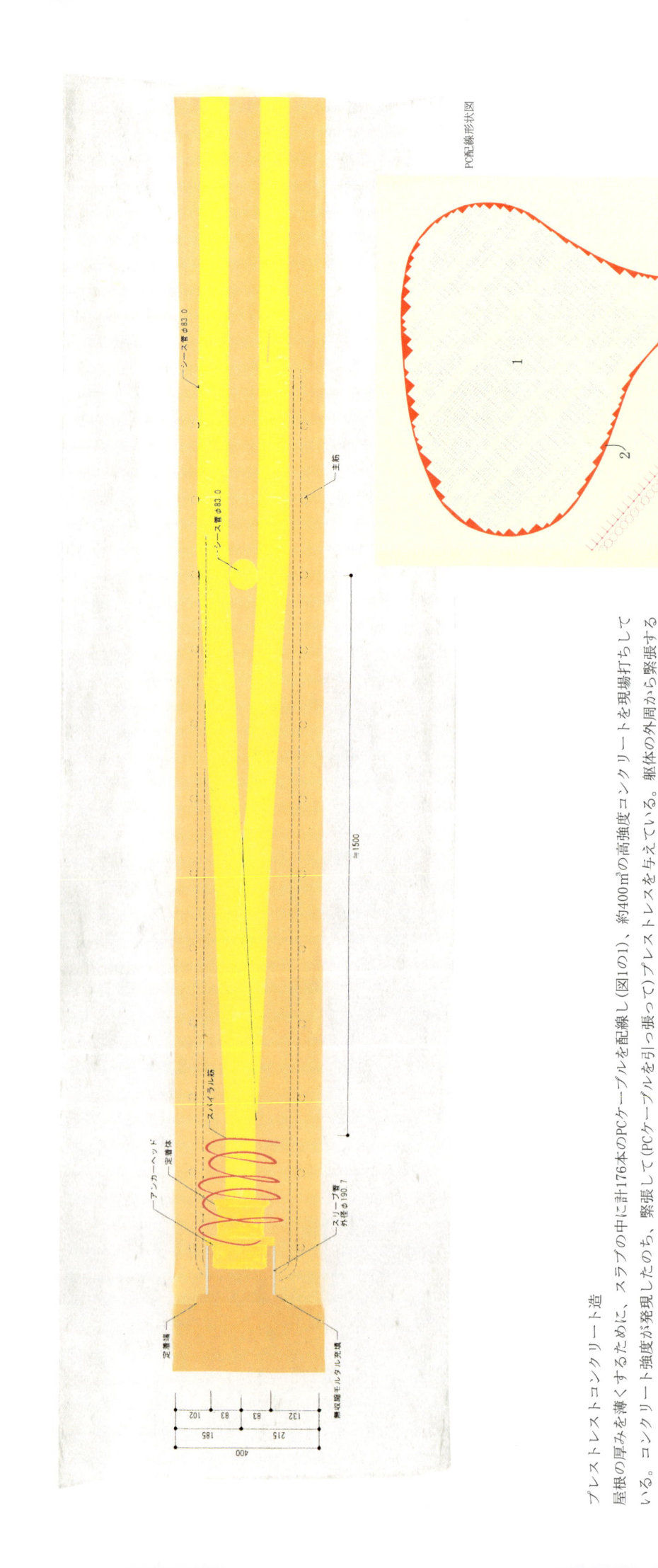

図1：PC鋼線配置図

プレストレストコンクリート造

屋根の厚みを薄くするために、スラブの中に計176本のPCケーブルを配線し（図1の1）、約400m³の高強度コンクリートを現場打ちしている。コンクリート強度が発現したのち、緊張して(PCケーブルを引っ張って)プレストレスを与えている。躯体の外周から緊張するため、はじめに平面の外周の外周側をぎざぎざに欠き込んだコンクリートを先打ちする計画としている。PCケーブルを後打ちする計画としている。緊張端を外部に露出させないよう、緊張後に外周をぎざぎざに欠き込んだ大きさに大きく次き込んだコンクリートを後打ちする計画としている。

PCケーブルは、応力の大きな柱まわりやスパンが広い部分は本数を多く、応力の小さい部分は本数を減らし、なるべくPCケーブルを効率よく働かせるようにしている。また、薄いスラブで有効に圧縮力を与えるため、PCケーブルを3段に配置している箇所があり、なるべく中心に配置することで偏心で生じる付加曲げ応力を軽減させている。打ち継ぎの形状や型枠の配置にも影響するため慎重に検討が行われた。

柱頭断面詳細図

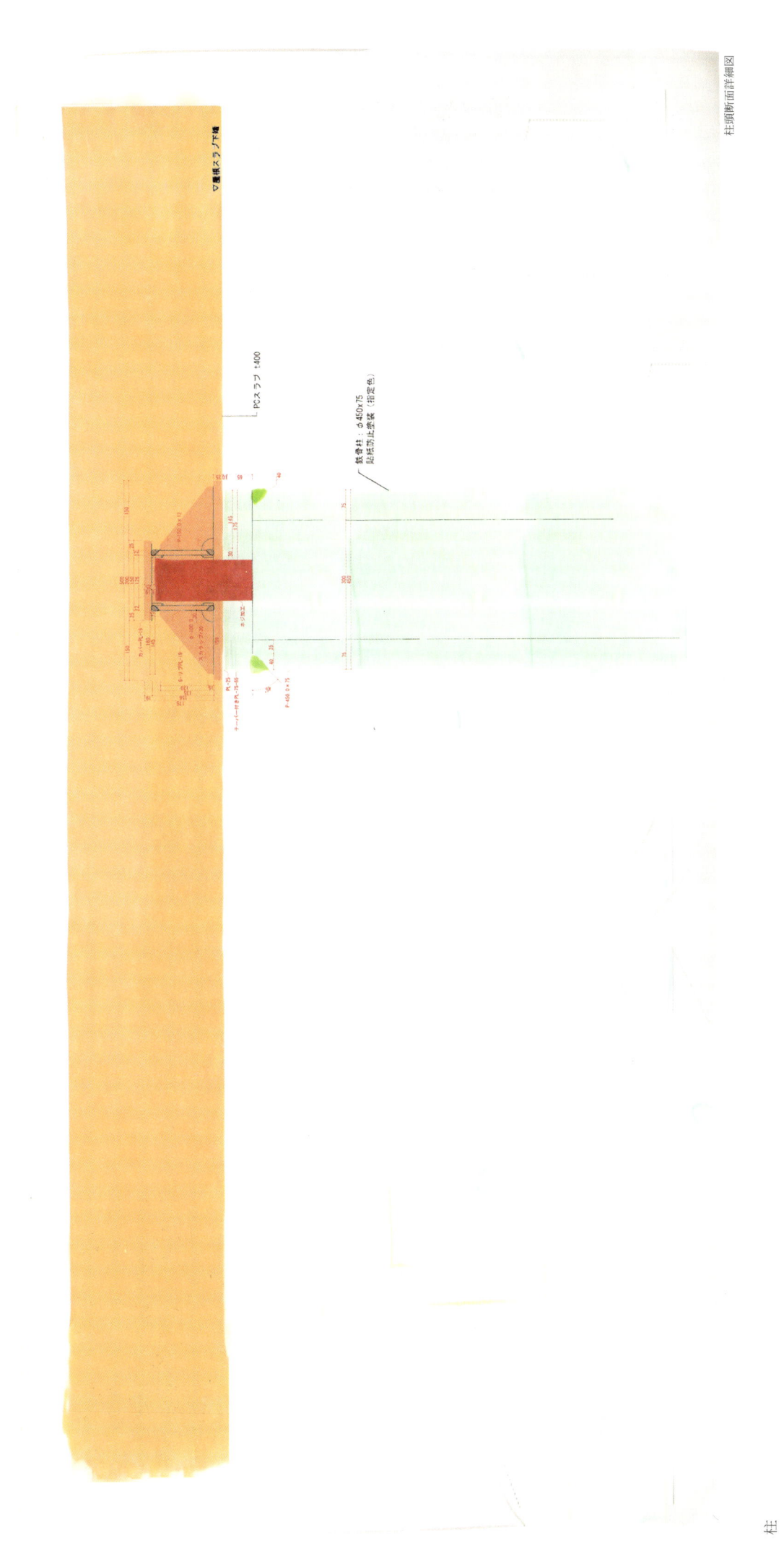

柱

柱はφ450×75の遠心鋳造管を使った鉄骨造である。14本の柱の先端にスラブがのっていて、鉛直方向に支持される。柱頭部はピン接合。柱の先端の95φの突起に対して、両側に1mmずつ隙間ができるように、スラブ側に97φの穴が開いている。接合の鉄骨を埋め込んでいて、水平方向にスラブがずれないようにしている。スラブからの水平力は柱頭に伝達するが、スラブに柱頭の曲げモーメントは伝達しない納まりとなっている。

2009年12月の現場。支保工が建てられ、コンクリート型枠が並べられていく。

2010年3月、完成。

収録作品データ

■GARDEN & HOUSE
所在地：東日本
主要用途：専用住宅
建主：個人
期間：2006-
建築設計：西沢立衛建築設計事務所
担当　西沢立衛　中坪多恵子
構造設計：structured environment
担当　Alan Burden　小山内博樹
設備設計：システムデザイン研究所
担当　佐野武仁　佐野明子
敷地面積：37.84㎡
建築面積：24.89㎡
延床面積：66.03㎡
規模：地上4階
建蔽率：65.78%
容積率：174.50%
最高高さ：11,340mm
構造：鉄筋コンクリート造一部鉄骨造
施工：平成建設
担当　堀米八郎　金大桓

■HOUSE A
所在地：東日本
主要用途：専用住宅
建主：個人
期間：2004-2006
建築設計：西沢立衛建築設計事務所
担当　西沢立衛　松井元靖　中坪多恵子　大井裕介
髙橋一平
構造設計：佐々木睦朗構造計画研究所
担当　佐々木睦朗　礒崎あゆみ
設備設計：システムデザイン研究所
担当　佐野武仁　佐野明子
敷地面積：123.41㎡
建築面積：73.04㎡
延床面積：90.50㎡
規模：地上2階
建蔽率：59.18%
容積率：73.33%
最高高さ：6,200mm
構造：鉄骨造
施工：平成建設
担当　堀米八郎

■ニューヨークのヴィラ
所在地：ニューヨーク
主要用途：別荘
建主：個人
期間：2008-
建築設計：西沢立衛建築設計事務所
担当　西沢立衛　髙橋一平
Toshihiro Oki Architect
担当　大木理寛
構造設計：Guy Nordenson & Associates
担当　Guy Nordenson, Brett Schneider
環境設計：Transsolar
担当　Matthias Schuler, Erik Olsen
設備設計：Buro Happold
担当　Mark Malekshahi
敷地面積：471.05㎡
建築面積：177.01㎡
延床面積：125.42㎡
規模：地上1階
最高高さ：9,140mm
構造：鉄骨造

■軽井沢研究所
所在地：長野県
主要用途：研修及び展示館
建主：法人
期間：2007-
建築設計：西沢立衛建築設計事務所
担当　西沢立衛　松井元靖　尾野克矩
構造設計：佐々木睦朗構造計画研究所
担当　佐々木睦朗　小松宏年
設備設計：環境エンジニアリング
担当　高山浩　成田賛久
敷地面積：5,997.44㎡
建築面積：1,870.30㎡
延床面積：1,761.60㎡
規模：地上1階
建蔽率：31.19%
容積率：29.38%
最高高さ：6,070mm
構造：鉄骨造一部鉄筋コンクリート造
施工：清水・笹沢建設共同企業体
担当　鎌倉孝光　丸山倫幸

■十和田市現代美術館
所在地：青森県
主要用途：美術館
建主：十和田市
全体監修：ナンジョウアンドアソシエイツ
担当　長田哲征　西山裕子　新居音絵　中嶋和美
期間：2005-2008
建築設計：西沢立衛建築設計事務所
担当　西沢立衛　髙橋一平　大井裕介　中坪多恵子
藤澤賢一
構造設計：佐々木睦朗構造計画研究所
担当　佐々木睦朗　寺戸竜美　犬飼基史
設備設計：環境エンジニアリング
担当　高山浩　五木田正和　成田賛久
敷地面積：4,358.46㎡
建築面積：1,685.73㎡
延床面積：2,078.38㎡
規模：地上2階
建蔽率：38.67%
容積率：47.68%
最高高さ：17,000mm
構造：鉄骨造
施工：上北・経商事・平和実業特定建設工事共同企業体
担当　小山田勉　久保杉博　竹内徹也　伊藤健一

■森山邸
所在地：東京都
主要用途：専用住宅+賃貸住宅
建主：個人
期間：2002-2005
建築設計：西沢立衛建築設計事務所
担当　西沢立衛　髙橋一平　大井裕介　岡田公彦
構造設計：structured environment
担当　Alan Burden　贄田泰然　田尾玄秀
設備設計：環境エンジニアリング
担当　五木田正和　成田賛久
敷地面積：290.07㎡
建築面積：130.09㎡
延床面積：263.32㎡
規模：地下1階　地上3階
建蔽率：44.85%
容積率：90.78%
最高高さ：2,100〜7,800mm
構造：鉄板造
施工：平成建設
担当　堀米八郎　八橋佳昭

■船橋アパートメント
所在地：千葉県
主要用途：共同住宅
建主：個人
プロデュース：アールエイジ
担当　田島基拡　伊藤晋作
期間：2002-2004
建築設計：西沢立衛建築設計事務所
担当　西沢立衛　岡田公彦　大井裕介　髙橋一平
構造設計：久米弘記建築構造研究所
担当　久米弘記
設備設計：環境エンジニアリング

担当　大島一成　五木田正和
敷地面積：339.74㎡
建築面積：243.04㎡
延床面積：648.90㎡
規模：地上3階
建蔽率：71.54%
容積率：165.89%
最高高さ：9,700mm
構造：鉄筋コンクリート造
施工：新日本建設
担当　小谷厚仁　江川豊

■豊島美術館
所在地：香川県
主要用途：美術館
建主：財団法人　直島福武美術館財団
期間：2004-
建築設計：西沢立衛建築設計事務所
担当　西沢立衛　大井裕介
アーティスト：内藤礼
構造設計：佐々木睦朗構造計画研究所
担当　佐々木睦朗　小松宏年　浜田英明
設備設計：鹿島建設
担当　平林一浩　小林弘典
敷地面積：9,694.83㎡
建築面積：2,155.45㎡
延床面積：2,332.45㎡
規模：地上1階
建蔽率：22.23%
容積率：24.06%
最高高さ：4,670mm
構造：鉄筋コンクリート造
施工：鹿島建設
担当　豊田郁美　大上光春　山下泰史　池部慎一

■小山登美夫ギャラリー代官山
所在地：東京都
主要用途：ギャラリー
建主：小山登美夫ギャラリー
期間：2007
建築設計：西沢立衛建築設計事務所
担当　西沢立衛　大井裕介　松井元靖
計画面積：49.40㎡
天井高：2,700mm
施工：SOL CASA
担当　志賀光朗

■熊本駅東口駅前広場
所在地：熊本県
主要用途：公共用歩廊及びプラットホーム上屋
建主：熊本県
期間：2007-
建築設計：西沢立衛建築設計事務所
担当　西沢立衛　大井裕介　藤澤賢一
構造設計：structured environment
担当　Alan Burden　小山内博樹
建築面積：907.30㎡
延床面積：218.46㎡
屋根面積：1,054.34㎡
規模：地上1階
最高高さ：6,201mm
構造：鉄骨造一部プレストレストコンクリート造
施工：鉄建建設
担当　小島博之　根木睦生　鬼塚雅嗣　本波英樹
尻無濱昭三

西沢立衛（にしざわりゅうえ）

1966	東京都生まれ
1990	横浜国立大学大学院修士課程修了
1990	妹島和世建築設計事務所入所
1995	妹島和世と共にSANAA設立
1997	西沢立衛建築設計事務所設立
現在	横浜国立大学大学院（Y-GSA）教授

主な作品（＊は妹島和世との共同設計）

1998	ウィークエンドハウス（群馬県／週末住宅）
2004	金沢21世紀美術館（石川県／美術館）＊
2005	森山邸（東京都／専用住宅＋賃貸住宅）
2006	HOUSE A（東日本／専用住宅）
2006	ツォルフェライン・スクール（エッセン、ドイツ／学校）＊
2006	トレド美術館ガラスパビリオン（オハイオ、アメリカ／美術館）＊
2006	海の駅なおしま（香川県／フェリーターミナル）＊
2006	スタッドシアター（アルメラ、オランダ／劇場、文化施設）＊
2007	ニューミュージアム（ニューヨーク、アメリカ／美術館）＊
2008	十和田市現代美術館（青森県／美術館）
2009	ROLEXラーニングセンター（ローザンヌ、スイス／学生センター）＊
2010	熊本駅東口駅前広場（熊本県／公共用歩廊、プラットホーム上屋）
2010	豊島美術館（香川県／美術館）
2011	軽井沢千住博美術館（軽井沢研究所）（長野県／美術館）
2011	GARDEN & HOUSE（東日本／専用住宅）
2012	ルーヴル＝ランス（ランス、フランス／美術館）＊
2014	寺崎邸（神奈川県／専用住宅）
2014	日本キリスト教団 生田教会（神奈川県／教会）
2015	グレイス・ファームズ（ニューケイナン、アメリカ／地域センター）＊
2016	徳田邸（京都府／住宅兼オフィス）
2019	済寧市美術館（済寧、中国／美術館）
2020	ボッコーニ大学新キャンパス（ミラノ、イタリア／大学）＊
2022	Art Gallery of New South Wales Expansion – Naala Badu Building（シドニー、オーストラリア／美術館）＊
2022	ベツァレル・アカデミー・オブ・アート＆デザイン（エルサレム、イスラエル／大学）＊
2022	稲葉邸（茨城県／専用住宅）
2023	佐藤邸（埼玉県／専用住宅）
2023	ししいわハウスNO.3（長野県／宿泊施設）
2024	三島のオフィス（静岡県／オフィス）
2024	A.F.A Shanghai（上海、中国／広場、カフェ、展示施設、イベントセンター）
2024	うめきた2期地区開発事業 大屋根施設（大阪府／広場、展示施設、カフェ）＊
2024	あなぶきアリーナ香川（香川県立アリーナ）（香川県／アリーナ）＊

受賞（＊は妹島和世と共に受賞）

1998	日本建築学会賞（国際情報科学芸術アカデミーマルチメディア工房）＊
2002	アメリカ芸術文化アカデミー アーノルド・W・ブルンナー賞＊
2002	ザルツブルグ建築賞ヴィンセント・スカモッツィ賞＊
2004	ベネツィアビエンナーレ第9回国際建築展金獅子賞（金沢21世紀美術館）＊
2005	第46回毎日芸術賞（金沢21世紀美術館）＊
2005	ロルフ・ショック賞＊
2006	日本建築学会賞（金沢21世紀美術館）＊
2007	マリオ・パニ賞＊
2007	ベルリン美術賞＊
2010	プリツカー賞＊
2011	藝術文化勲章オフィシエ
2012	第64回日本建築学会賞（豊島美術館）
2012	第25回村野藤吾賞（豊島美術館）
2019	吉阪隆正賞
2022	高松宮殿下記念世界文化賞 建築部門＊
2025	シャルロット・ペリアン賞＊
2025	カンター・トリッチメダル＊
2025	王立英国建築家協会 ロイヤル・ゴールド・メダル＊

主な出版物

1999	JA 35「妹島和世 1987-1999 ／ 妹島和世＋西沢立衛 1996-1999」
2000	EL croquis 99 "KAZUYO SEJIMA + RYUE NISHIZAWA 1995-2000"
2001	EL croquis 77+99 "KAZUYO SEJIMA + RYUE NISHIZAWA 1983-2000"
2003	KAZUYO SEJIMA + RYUE NISHIZAWA ／ SANAA WORKS 1995-2003（TOTO出版）
2003	EL croquis 121/122 "SANAA SEJIMA + NISHIZAWA 1998-2004"
2004	妹島和世＋西沢立衛読本-2005（A.D.A.EDITA Tokyo）
2004	GA ARCHITECT 18「KAZUYO SEJIMA + RYUE NISHIZAWA 1987-2006」
2004	KAZUYO SEJIMA + RYUE NISHIZAWA ／ SANAA, Phaidon
2007	SANAA Houses: Kazuyo Sejima + Ryue Nishizawa, Actar
2007	WALTER NIEDERMAYER ／ KAZUYO SEJIMA + RYUE NISHIZAWA/SANAA, Hatje Cantz
2007	AV 121 "SANAA: SEJIMA & NISHIZAWA 1990-2007"
2007	建築をつくることは未来をつくることである（共著、TOTO出版）
2007	建築について話してみよう（王国社）
2008	EL croquis 139 "SANAA KAZUYO SEJIMA + RYUE NISHIZAWA 2004-2008"
2009	西沢立衛／西沢立衛建築設計事務所スタディ集（INAX出版）
2009	西沢立衛対談集（彰国社）
2011	GA ARCHITECT「KAZUYO SEJIMA + RYUE NISHIZAWA 2006-2011」
2011	EL croquis 155 "SANAA KAZUYO SEJIMA + RYUE NISHIZAWA 2006-2011"
2012	続・建築について話してみよう（王国社）
2013	妹島和世＋西沢立衛読本-2013（A.D.A.EDITA Tokyo）
2015	EL croquis 179/180 "SANAA KAZUYO SEJIMA + RYUE NISHIZAWA 2011-2015"
2017	AV 171/172 "SANAA: SEJIMA & NISHIZAWA 2007-2015"
2021	EL croquis 205 "SANAA KAZUYO SEJIMA + RYUE NISHIZAWA 2015-2020"
2021	KAZUYO SEJIMA RYUE NISHIZAWA SANAA 1987-2005 Vol.1 ／ 2005-2015 Vol.2 ／ 2014-2021 Vol.3（TOTO出版）
2023	EL croquis 220/221 "SANAA KAZUYO SEJIMA + RYUE NISHIZAWA Ⅱ 2015-2023"
2024	妹島和世＋西沢立衛読本-2024（A.D.A.EDITA Tokyo）
2024	立衛散考（A.D.A.EDITA Tokyo）

制作	西沢立衛　中坪多恵子／西沢立衛建築設計事務所
図版	西沢立衛建築設計事務所
写真	ホンマタカシ　　52、53
	鈴木研一　　19、22
	上記以外：西沢立衛建築設計事務所
協力	森山安男
初出	12-14　『新建築』2007年3月号
	68-69　『新建築』2004年6月号
	82-83　『新建築』2008年3月号
	以上に収録された文章を改稿した。

建築文化シナジー
西沢立衛建築設計事務所ディテール集

2010年5月10日 第1版 発　行
2025年4月10日 第1版 第4刷

編著者　西沢立衛建築設計事務所
発行者　下出雅徳
発行所　株式会社 彰国社
　　　　162-0067 東京都新宿区富久町 8-21
　　　　電話 03-3359-3231（大代表）
　　　　振替口座 00160-2-173401
　　　　https://www.shokokusha.co.jp
印刷　　株式会社真興社
製本　　株式会社ブロケード

© Office of Ryue Nishizawa 2010
ISBN 978-4-395-24021-0 C3352

本書の内容の一部あるいは全部を、無断で複写（コピー）、複製、および磁気または
光記録媒体等への入力を禁止します。許諾については小社あてにご照会ください。